D0038336

NO LONGER PROPERTY OF
SEATTLE PUBLIC LIBRARY

La otra orilla

El amante imperfecto

Premio de novela
La otra orilla 2008

convocado por

La otra orilla

Carlos Chernov

El amante imperfecto

www.librerianorma.com
Bogotá Barcelona Buenos Aires Caracas
Guatemala Lima México Panamá Quito San José
San Juan San Salvador Santiago de Chile Santo Domingo

Chernov, Carlos, 1953-
El amante imperfecto / Carlos Chernov. -- Bogotá :
Grupo Editorial Norma, 2008.
232 p. ; 23 cm. -- (La otra orilla)
ISBN 978-958-45-1356-4
1. Novela argentina 2. Amor - Novela I. Tít. II. Serie.
A863.6 cd 21 ed.
A1177628

CEP-Banco de la República-Biblioteca Luis Ángel Arango

Primera edición: octubre de 2008

Imagen de la cubierta: *Floreo*, Ernesto Bertani. Cedido por Galería Zurbarán,
Buenos Aires, Argentina
Adaptación de cubierta: Paula Gutiérrez
Armada: Blanca Villalba Palacios

Impreso por Cargraphics S.A. - 1871
Impreso en Colombia – *Printed in Colombia*
Septiembre de 2008
ISBN 978-958-45-1356-4
CC 26000682

Para Adriana

AMO, AMA: Dicen unos que el verbo oriental aman significa nutrir, criar, ser madre, connota idea de superioridad, de lo que es principal y primero, y que de ahí viene la acepción de amo, ama.
Diccionario Etimológico de la Lengua Castellana

PEDRO FELIPE MONLEAU

Primera parte

1

A Guillermo las mujeres le daban un poco de pena; le parecían muy vulnerables en su búsqueda de amor. Este sentimiento se le agudizaba en las fiestas; lo conmovía observarlas en sus momentos de brillo, cuando circulaban con soltura entre los hombres, con las espaldas desnudas asomando de sus vestidos y sonriendo confiadas.

Helenita Vega lo invitó a su fiesta de quince. Iban al mismo colegio, él cursaba quinto año y Helenita tercero. Guillermo la había preparado para rendir el examen de matemáticas de marzo y, desde entonces, tenía intenciones de conquistarla. Con el monto exacto que los padres de Helenita le pagaron por las clases, Guillermo le compró una orquídea. Transformó ese dinero en una flor; le fascinaba la idea de efectuar operaciones sin resto. Cuando criaba peces tropicales, Guillermo contemplaba con asombro cómo, luego del parto, las hembras perseguían a sus hijos recién nacidos para comérselos. Intentaban volver a incorporar lo expulsado, como si se tratara de un simple circuito de la materia. Algunos alevinos escapaban de sus madres y por azar no se convertían en alimento.

Más allá de su afición por estos juegos con números redondos, regalarle una orquídea había sido una ocurrencia de la madre de Guillermo. Al tanto de los sentimientos de su hijo hacia Helenita, le había recomendado "un regalo romántico, algo que nunca te va a fallar". Guillermo protestó, le parecía un gesto anticuado, pero ella insistió y, ya fuera porque confiaba en el saber de su madre acerca del corazón femenino o simplemente porque era un hijo obediente, Guillermo decidió enfrentar su miedo al ridículo.

Helenita desgarró el papel de seda del envoltorio y se quedó mirando la flor con perplejidad; ninguno de sus amigos regalaba orquídeas. Ocultar su decepción le costó un esfuerzo adicional: en esa época de su vida, a Helenita las flores no le interesaban. No comprendía por qué al resto de las mujeres las emocionaban tanto. Esta apatía la preocupaba, temía que fuera un signo de frialdad para el amor; escondía el asunto con cuidado, consciente de que se trataba de un rasgo impropio en una mujer. Se sentía como si careciera de una fe religiosa. La orquídea en su caja de celuloide le provocaba, a lo sumo, cierto respeto por su precio; también le despertaba reminiscencias de opulencia fúnebre, como si la caja fuera un ataúd transparente. Mientras Helenita se demoraba en examinar la orquídea, a Guillermo lo devoraba el suspenso. "¡Qué linda!", dijo al fin su amada, con un entusiasmo burocrático que solo cumplía con su custodiada educación.

La madre de Helenita, que se había acercado a la puerta a saludar a Guillermo, captó el desplante de su hija e intentó disimularlo. Elogió la flor con vehemencia y llamó a su marido para decirle con tono rezongón que todavía quedaban hombres que sabían cómo tratar a una dama. Guillermo se ruborizó. Temió que el padre se enemistara con él pero, al contrario, el señor Vega le sonrió, entre cansado y comprensivo, tomó la caja que contenía la orquídea y condujo a Guillermo al cuarto que habían dispuesto como guardarropa y donde también exhibían los regalos.

2

Guillermo no tenía hermanos pero tampoco era hijo único. Sus dos hermanos habían muerto al nacer a causa de un trastorno de la sangre. Guillermo, el primogénito, había heredado el antígeno Rh del padre y había sensibilizado a Celina, su madre, mientras crecía dentro de ella. Luego, la madre elaboró anticuerpos que enfermarían a cualquier nuevo huésped de su vientre. Guillermo convirtió la sangre de Celina en un veneno que atacó a los siguientes hijos como si fuesen sus enemigos. Cuando en la adolescencia, luego de mucho preguntar por qué no tenía hermanos, le contaron la verdad a regañadientes, Guillermo experimentó un escalofrío de terror: la suerte lo había librado de ocupar el segundo o tercer lugar en el orden de los nacimientos.

El trastorno de la sangre hubiera podido curarse, pero la madre –así como la abuela y las tías maternas de Guillermo– sentían aversión a consultar a los médicos por dolencias vinculadas a lo sexual. La abuela y sus tres hijas siempre habían rehuido el trato íntimo con los hombres; por otra parte, las mujeres devenidas médicas no les merecían ninguna confianza.

Guillermo fue el mensajero de lo que los médicos denominan "Incompatibilidad sanguínea matrimonial". Este mal trascendía el asunto de la sangre y valía como metáfora del matrimonio. Cuando se casaron, la madre tenía treinta y seis años y el padre veintiocho, pero Celina tenía veinticinco departamentos en alquiler y varios miles de hectáreas en la provincia de La Pampa, que poseía en condominio con su madre y sus hermanas. El tardío casamiento sorprendió a las amigas de Celina; no se explicaban cómo había conseguido eludir la maquinaria retórica de su madre que, en una época tan pacata como la década del cuarenta en la Argentina, se había separado de su marido y nunca había vuelto a casarse. "Sacarme de encima a ese inútil fue el mejor negocio de mi vida", exhortaba la abuela a la madre de Guillermo, apuntándole con los dedos medio e índice cerrados en torno de alguno de los cincuenta cigarrillos que fumaba por día.

Aunque la abuela argumentó con dureza y refinada malicia contra el doctor Olmo, futuro esposo de Celina (en su opinión, un evidente caza fortunas, prueba viva de la credulidad o de la franca estupidez de su hija), no logró convencerla de que desistiera del rumbo que había elegido.

3

Mientras le entregaba el sobretodo de Guillermo a la encargada del guardarropa, el padre de Helenita le comentó que aprovechaban la fiesta para inaugurar el departamento: un piso enorme en un edificio en torre ubicado en Arribeños y Virrey del Pino. "Nuevos ricos", había sentenciado su madre con desprecio y –para Guillermo– con algo de envidia.

Guillermo se metió el número de la contraseña del guardarropa en un bolsillo e intentó volver al *living*, pero una resistencia misteriosa se lo impidió. Terminó en el escritorio, estudiando el lomo de los libros de la biblioteca. Por fin, juntó coraje y entró al *living*. Todavía era temprano para bailar, el *disc-jockey* pasaba clásicos de *rock* a bajo volumen. Guillermo descubrió a algunos compañeros de su división y se apresuró a refugiarse entre ellos. Hablaban de fútbol. Asistió a la charla sin prestarles atención; no podía apartar los ojos de Helenita que, a algunos metros a su izquierda, en un vestido *strapless* rojo, se destacaba en medio de un grupo de amigas vestidas de *soirée* con transparencias, grandes moños y telas superpuestas de colores lila, gris y crema. Todas parloteaban y se reían excitadas. Guillermo interceptó dos o tres miradas de Helenita dirigidas a él. Aunque todavía no se habían dicho nada, Guillermo sentía que habían comenzado a gustarse desde el día en que había venido a esta casa a enseñarle matemáticas.

Sonó el timbre y entró Ramón Izarreta. Guillermo notó que Helenita lo recibía con más alegría que al resto de los invitados. Ramón Izarreta había conocido a Helenita en los torneos intercolegiales; ella pertenecía al equipo de hockey, mientras que Ramón había salido campeón en lanzamiento de bala y jabalina. "Es un atleta", comentó uno de los compañeros de Guillermo con extrañeza, como si se refiriera a algún tipo de conducta perversa o a una especie animal en vías de extinción.

De repente, el *living* quedó a oscuras, se encendieron luces de colores y la música estalló a todo volumen. Guillermo se sobresaltó, estaba parado al lado de uno de los parlantes y podía ver cómo las membranas latían al ritmo de la percusión. Esa noche, las adolescentes dejaron hoyuelos como de viruela en el piso de parqué tarugado –la madera demostró ser más blanda que los tacos altos–. Al bailar, esparcían una perturbadora mezcla de perfumes y transpiración agria que parecía brotar directamente de sus hormonas. Guillermo tenía puesto un traje de alpaca inglesa color gris pizarra, que había pertenecido a su padre; un traje muy elegante pero demasiado abrigado para el calor que generaba el baile. A cada rato tenía que salir a tomar aire al balcón o ir al baño a secarse la frente. Se peinaba el pelo mojado con los dedos y de inmediato regresaba al *living* para no perder de vista a Helenita.

Durante un tiempo, que Guillermo sintió que no acabaría nunca, bailaron sueltos, con aire ausente, fingiendo estar concentrados solo en la música. Guillermo notó que en su propósito de seducir a Helenita le había surgido un competidor: Ramón siempre merodeaba cerca. Mentalmente, Guillermo se burlaba de la torpeza para bailar de su rival; la única coreografía que se le ocurría a Ramón era balancearse sobre un pie y el otro como un oso amaestrado. Una chica pasó repartiendo serpentinas, cornetas y bolsitas de papel picado, y dio comienzo el carnaval carioca. Todos se fueron enganchando en una larga fila que marchaba al compás de la música.

Guillermo tomó a Helenita por la cintura anticipándose a Ramón, entonces Ramón lo agarró por la cintura a él. El placer de acariciar el sedoso cuerpo de Helenita que se deslizaba bajo el vestido rojo, disminuyó notoriamente cuando Guillermo sintió las manazas calientes de Ramón sobre sus flancos; temió que le estropeara el traje de alpaca con la transpiración. Pronto Ramón mostró sus verdaderas intenciones: empezó a trabarlo impidiéndole moverse al ritmo de la música; simulando estar poseído por la danza, lo zamarreaba de un lado para otro tratando de hacerle perder el equilibrio. Guillermo se dio vuelta, Ramón sonreía burlón. "Hijo de puta", masculló Guillermo, pero decidió tragarse el enojo y procuró no trasladar estas sacudidas de coctelera a la cintura de Helenita. De ninguna manera iba a cederle el sitio detrás de su amada.

4

El hombre que sedujo a la madre de Guillermo había abandonado el Colegio Militar en cuarto año, con el grado de subteniente, y había tardado nueve años en recibirse de abogado. Alguna vez, le había confesado a su hijo que había estudiado para que lo llamaran doctor. El doctor Olmo se casó apenas obtuvo el título y renunció al ejercicio de la profesión antes de iniciarlo. En tanto sus colegas emprendían trayectorias adentro y afuera de los tribunales, el padre de Guillermo contaba sin ningún pudor –más bien con cierto engreimiento– lo mal que administraba los campos de su esposa y cómo le fastidiaba la rapacidad de los primos de su mujer, "que al final se van a quedar con todo". El doctor Olmo aspiraba a ser un dandi; un *arbiter elegantiarum*, como Petronio. Solía jugar al póquer y apostar a los caballos, derrochar sin límite en los *cabarets* y correr autos preparados en la categoría Turismo Carretera: un rancio *playboy* argentino, tan típico que parecía salido de una vieja historieta.

El matrimonio se instaló en la casa materna, usufructuando la resignada hospitalidad de la abuela de Guillermo y sus dos tías. Estas mujeres se referían al doctor Olmo indistintamente como "el parásito" o "el chupasangre", incluso delante del niño. Pese a las tensiones entre sus padres y el resto de la familia, Guillermo siempre recordaría con nostalgia su infancia en el caserón de Belgrano "R"

–un parque de un octavo de manzana con azaleas, rosales, palos borrachos y una palmera–. La abuela manejaba el dinero y restringía los despilfarros del marido de Celina. El grupo marchaba en tolerable armonía.

Cuando Guillermo tenía ocho años, la abuela murió y su madre tuvo que suplantarla en la cobranza de los alquileres –las tías detestaban ocuparse de los números–. Celina perdió el control; corroída por el temor de que su esposo la dejara, no se atrevía a negarle ni un centavo. Pronto se endeudaron y tuvieron que empezar a vender los departamentos, que acabaron convertidos en boletos del Hipódromo de Palermo, botellas de champaña, o carburadores y neumáticos para autos de carrera. Al cabo de cuatro años la familia cayó en bancarrota. Para disminuir gastos, cancelar deudas y escabullirse de las cédulas judiciales, liquidaron la propiedad de Belgrano "R".

Guillermo y sus padres se mudaron a una vivienda de altos en la calle Montevideo. Una casa decrépita y enferma, siempre al borde del colapso; a la noche se despertaban sobresaltados por los repentinos eructos dispépticos de las cañerías taponadas de grasa y sarro. Allí nada funcionaba bien y si algo se rompía, nadie lo arreglaba. Deprimida, Celina demoraba meses en cambiar las lamparitas quemadas. Como a muchos adolescentes, a Guillermo le fascinaban los cortaplumas, las linternas y los encendedores; pero en realidad tuvo que acostumbrarse a llevar encima una linterna de bolsillo para no tropezar en las escaleras a oscuras. Casi nunca había agua caliente ni calefacción. A veces, en invierno, Guillermo iba al colegio sin bañarse; todavía recordaba la vergüenza de ser expuesto en la formación con las uñas sucias. También, la vergüenza de que su madre fuera más vieja que las madres de todos sus compañeros.

Quizás harta de que su esposo la tratara sin respeto o porque la acumulación de penosos desengaños –producto de tantos engaños– había perforado el velo de amor obtuso que la enceguecía,

Celina comenzó a animarse a recriminarle las infidelidades. Cuando lo interrogaba durante la cena, el doctor Olmo giraba la cabeza sorprendido –como si un empleado al que estaba a punto de despedir hubiera osado reclamarle un aumento de sueldo o el perro de la casa se hubiese quejado de la comida–, pero no le contestaba. La madre reparaba en la presencia de Guillermo y se contenía, pero arremetía nuevamente en el dormitorio. Para alentarlo a hablar, le recordaba que ella continuaba administrando las exiguas finanzas de la familia, consciente de que, desde que eran exiguas, el marido desaparecía con mayor frecuencia. Celina quería saberlo todo: con quién, cuándo, cómo y, en particular –le imploraba–, *¿por qué?* Se peleaban a los gritos. De repente, dejaban de discutir y pasaban de la violencia al sexo. En otras ocasiones, la mayoría, el padre daba un portazo y no regresaba por un par de días. Guillermo se mantenía al tanto porque su madre le relataba las conversaciones con todo detalle. Celina le contaba que no podía dormir, que se retorcía en la cama atormentada por los celos, que se pasaba la noche atando cabos, forzando conclusiones sobre el significado de miradas, sonrisas y gestos entre sus amigas y su marido, señales en las que no había reparado y que ahora se le revelaban con amarga claridad.

Cuando los celos ocuparon su mente por completo, la madre de Guillermo contrató detectives. Una noche, le avisaron que su marido estaba con una mujer en un hotel del centro. Antes de que Celina entrara a la habitación, el conserje alertó a los amantes; la mujer escapó por la ventana y se quedó parada en la cornisa. La gente en la calle gritaba suponiendo que estaba por suicidarse. A pesar de la robusta evidencia, Celina no se divorció. Dijo que no había podido demostrar la infidelidad; se defendió –en especial de la virtuosa indignación de sus hermanas– con el argumento de que no los había visto juntos en la cama. A partir de ese episodio, Celina dejó de perseguirlo. Confirmar que sus sospechas eran ciertas, que una mujer tangible se había escondido temblando detrás de la pared, le causó un efecto paradójico; el juego de asediarlo la había arrastrado a una consecuencia no deseada: sufriría, pero no estaba dispuesta a perder a su esposo.

Guillermo recordaba interminables tardes de domingo; su padre se reunía con los amigos en el hipódromo y su madre se quedaba acostada con los ojos fijos en la blancura del cielo raso. A lo largo de la adolescencia, Guillermo observó cómo el suplicio de no ser amada por el doctor Olmo fue carcomiendo y vaciando a Celina, hasta dejarla hueca y quebradiza como el cadáver de un insecto digerido por las larvas de una araña.

5

A las dos de la madrugada, apenas el *disc-jockey* puso el primer tema lento, Guillermo, con una resolución poco común en él –tal vez apremiado por el temor de que su rival se le adelantara–, la sacó a bailar. Helenita le sonrió y cuando apoyó la mano sobre el cuello de Guillermo exclamó: "¡Qué alto sos!" El modisto de Helenita le había sugerido un vestido con los hombros descubiertos. La doctrina que predicaba entre sus clientas proclamaba: "Los hombros delgados son lindos. Los huesos hay que mostrarlos". Y, efectivamente, a Guillermo le resultaban irresistibles. Su mirada resbalaba desde la piel estirada por las clavículas y pugnaba por meterse dentro del corpiño; de tanto forzar la vista hacia esas profundidades, Guillermo temía que sus ojos saltaran de las cuencas y rodaran como bolitas por las laderas del valle de los senos. Helenita estaba orgullosa de ser una flaca con tetas grandes y de usar pantalones talle *small* a pesar de medir casi un metro setenta.

Un amigo experimentado le había dicho a Guillermo que, para besarla en la boca sin exponerse a un rechazo, convenía empezar por besarle los hombros y el cuello y recorrer suavemente las mejillas hasta llegar a los labios. Guillermo no quería asustar a Helenita actuando con precipitación. Mientras procedía de este modo cauteloso, sin dejar de bailar, la fue llevando desde el *living* –donde había demasiada gente observándolos– a la semipenumbra del escritorio. Comenzó a besarla en el cuello, tratando de alejar su sexo del cuerpo de Helenita para que no percibiera la erección. Pero en lugar de apartarse, para sorpresa de Guillermo, Helenita lo rozaba y presionaba con meneos de la pelvis que lo hacían transpirar y sonrojarse. Sintió que pronto se desbordaría y arruinaría todo. Descontrolado por la excitación, Guillermo se abalanzó sobre los labios de Helenita como si hubiera tropezado. Ella abrió la boca a una serie insaciable de besos y los remató riéndose del pudor de su enamorado. "¡Ya era hora!", le reprochó cuando se desprendió de su abrazo.

Después de besarla, Guillermo entendió que había cumplido con su parte del plan: con este acto se le había declarado. Se sentó en un sofá, satisfecho y feliz, a contemplar cómo Helenita bailaba el vals con su padre, con sus tíos y con un viejo que debía de ser su abuelo, y luego, con varios compañeros de su división, con él mismo e incluso con el pesado de Ramón.

Volvieron a pasar tandas de música rápida y de música lenta. Helenita dijo que estaba agotada, se sentó frente a Guillermo y le apoyó los pies sobre los pantalones. Se había descalzado. Durante mucho tiempo, Guillermo gozó con el recuerdo del contacto de los pies tibios y sucios de Helenita sobre sus muslos.

6

Luego del almuerzo, Guillermo se instalaba con sus libros en la cocina pero, en lugar de estudiar, tenía que quedarse escuchando a su madre. ("¡Guillermo es tan compañero!", se pavoneaba Celina delante de sus hermanas, solteras y sin hijos. "Como una hija", le respondían). La queja más frecuente de Celina era que su marido la abandonaba. "Mientras 'estamos juntos' por lo menos siento que está conmigo", decía su madre como reflexionando para sí misma, "pero no creas que lo hago porque me gusta 'estar juntos'", se apresuraba a aclarar ruborizada. "No vayas a pensar que..." Recomendación superflua: perturbado por estas confidencias, Guillermo no lograba pensar en nada. Aunque Celina omitía los detalles no aptos para menores, las imágenes que Guillermo se fabricaba de la lascivia supuestamente fósil de su madre bastaban para trastornarlo. Mientras Celina le hablaba, él evitaba mirarla. Para escapar, Guillermo se entretenía contando los azulejos de la cocina –quince centímetros de lado– para luego calcular a ojo desnudo –sin olvidar los cantos, los recortes y los zócalos–, la superficie exacta de cada pared; resultado que conocía de antemano por haberlo obtenido en análogas charlas de sobremesa, de cruda y lujuriosa incontinencia materna. Basándose en el caso de su madre –para quien someter su venerable Monte de Venus al tedioso golpeteo del amor físico era la más concluyente de las pruebas de amor–,

Guillermo conjeturó que las mujeres solo condescendían a practicar el sexo cuando ya no soportaban la soledad.

A veces, en medio del relato de sus desdichas, Celina rompía a llorar y buscaba refugio entre los brazos de su hijo. Guillermo estrechaba con cuidado el cuerpo seco, desdichado y frágil de su madre. Las despedidas y reencuentros cotidianos siempre habían sido un pretexto para que se trenzaran en abrazos interminables. Celina pasaba del protocolar beso en la mejilla a estrujarlo contra su pecho, con una potencia desesperada que dejaba a Guillermo sin aliento y con los ojos congestionados. En la época en que todavía era más bajo que su madre, los abrazos le arqueaban la espalda; cuando Guillermo creció, Celina lo invitaba en broma a que la aupara. "¡Upita!, ¡Upita!", le pedía con voz infantil y le tiraba los brazos como una beba. Si bien los abrazos eran prolongados y efusivos, no dejaban de ser recatados. Unidos por las cabezas, con los brazos rodeando los hombros y ningún contacto por debajo del pecho, reproducían la figura de una escalera de pintor. Formaban una "A" incompleta –sin el trazo impúdico que enlaza ambas ramas de la letra a la altura del vientre–. Aunque no perdían el decoro (a la madre jamás se le hubiera ocurrido espiar a Guillermo mientras se cambiaba, ni entrar al baño a lavarle la cabeza o a alcanzarle una toalla), comprenderían que los abrazos no resultaban tan inocentes ya que evitaban exhibirlos en público (y esto sin siquiera haberlo mencionado entre ellos). Excepto cuando suponían que esta conducta pasaría desapercibida, por ejemplo, en medio de una multitud que se abrazaba con motivo de algún festejo o despedida.

A Guillermo lo impacientaban estos abrazos infinitos, lo exasperaba el suspenso de no saber cuándo Celina lo soltaría. Se sentía como un boxeador retenido en un *clinch* pegajoso, con demasiado cariño por su rival como para sacárselo de encima de un puñetazo. Prefería aguantarse la urgencia de orinar o llegar tarde a una cita, antes que el remordimiento de desprenderse y provocarle una pena a su madre que sufría tanto. Sobre todo luego de la trágica desaparición del doctor Olmo –muerto en un accidente automovilístico, en una carrera de Turismo Carretera–, cuando Guillermo tenía dieciocho años.

A partir de la viudez, la madre no se conformó con los abrazos en posición de escalera y aumentó considerablemente la cercanía corporal. Ya a la vuelta del cementerio, ni bien traspusieron la puerta de la casa, Celina apoyó la cabeza en el pecho de Guillermo y se aferró a su espalda con las manos crispadas; apretó su cuerpo contra el de su hijo en un ajustado encastre de huecos y protuberancias, fiel como el molde de un vaciado en yeso.

En los primeros tiempos, Guillermo la aceptaba feliz, suponía que su cariño mitigaría el sufrimiento de la madre. Permanecían quietos largo rato; cada vez que Guillermo aflojaba el abrazo e iniciaba delicados movimientos para despegarse, Celina gemía para recordarle su condición de viuda desconsolada y lo sujetaba con más fuerza. Guillermo, resignado, aprendió a esperar a que su madre lo dejara en libertad. Solían quedarse parados en el mismo lugar hasta que a Guillermo le dolían los pies. Con los ojos cerrados, olvidado de sí mismo, sumido en la calidez hipnótica de los cuerpos fusionados, sin que ningún deseo indeseable interrumpiera el tierno y eterno abrazo, Guillermo se aletargaba. Sin embargo, la inmovilidad no era absoluta; ajenos a la consciencia, sus cuerpos se mecían suavemente.

Muchos años más tarde, Guillermo se dio cuenta de que la muerte de su padre había revivido a su madre. Curiosamente, la desaparición del marido mejoró el estado de ánimo de Celina. El doctor Olmo se había comportado como una especie de bella mariposa: había revoloteado libre, difícil de atrapar; la madre de Guillermo nunca había logrado que se posara en la casa. Ahora –como una mariposa clavada sobre una placa de corcho– Celina lo tenía a su disposición: podía visitarlo en la tumba y hablarle todas las veces que se le diera la gana. Su madre había perdido a un hombre vivo para recuperarlo muerto. La intensidad del duelo disminuía cuando Celina recordaba el padecimiento que le había causado la sucesión de sorpresas desagradables que le había infligido su marido –rematadas por la sorpresa espantosa, pero única y definitiva, de su muerte–. Celina se fue recobrando del anonadamiento en el que había vivido durante el matrimonio. Dejó de ser una cornuda despreciada para transformarse en una viuda digna, que suscitaba compasión y simpatía. Las hermanas ya no la envidiaban, incluso, para complacerla, toleraban que les contara una versión edulcorada de su vínculo con el difunto. Las hermanas se conducían como si el casamiento hubiera sido una cuestión epidérmica que, a pesar de los años que había durado y de la existencia de Guillermo, no había dejado marca ni cicatriz.

7

Los invitados comenzaron a irse al amanecer. Cuando Guillermo estaba despidiéndose con el sobretodo en la mano, Helenita cabeceó ligeramente señalándole el balcón. Media hora más tarde, aterido por el frío relente de la madrugada, luego de que se retiraran los últimos familiares, Guillermo oyó cómo el señor Vega volvía a felicitar a su hija por sus quince años y se tentaba de risa con su propia broma: desearle "buenos días" en lugar de "buenas noches". Helenita rescató a Guillermo del balcón y le advirtió con un ademán que permaneciera callado. Apenas entraron al *living*, lo agarró de la mano y tiró de él hacia abajo. Se besaron en el piso, escondidos entre las patas de las mesas y sillas alquiladas para la fiesta. Se acariciaron y frotaron furiosamente uno contra el otro. Helenita no permitió que Guillermo le metiera las manos por debajo de la ropa, ni que tomara ninguna otra iniciativa. Le indicó por señas que se acostara boca arriba y se levantó el vestido hasta el ombligo para poder sentarse sobre sus piernas extendidas. Cuando terminó de acomodarse, le abrió la bragueta y emprendió un ávido reconocimiento táctil por regiones en las que nunca nadie se había detenido tanto tiempo excepto –obviamente– él mismo. Desconcertado, Guillermo le sujetó la mano en forma refleja. Forcejearon un instante, Helenita resopló y lo miró con fastidio; la amenaza alarmó a Guillermo que le soltó la mano de inmediato. Helenita volvió a adueñarse de la situación. Liberó el miembro, a duras penas retenido por el pantalón, lo empuñó con firmeza y comenzó a recorrerlo con la lengua; a cada rato elevaba los ojos hacia Guillermo y le lanzaba una mirada burlona. Guillermo estaba consternado: no podía creer que la Helenita que en las clases de matemáticas, se llevaba un mechón de pelo castaño a la boca y lo sostenía entre los labios concentrada en las explicaciones, fuera la misma Helenita que ahora saboreaba esa parte de su cuerpo, mientras se hamacaba hacia adelante y hacia atrás, frotando extática la entrepierna contra sus pantalones de alpaca. Guillermo dedujo que estaba borracha o demasiado perturbada por las emociones de su fiesta de quince. De repente, Helenita entró en estado de frenesí; lamía y sobaba a su prisionero a toda prisa, lo acechaba con una curiosidad feroz, impaciente por recibir su descarga. A pesar del sentimiento de irrealidad que lo embargaba, pronto Guillermo llegó al clímax. Helenita alzó la cara para mostrarle los rastros de ese líquido que él nunca exhibía, y con una sonrisa se zambulló para restregarse contra su pantalón. Al principio Guillermo interpretó esta actitud como un gesto cariñoso, pero luego se dio cuenta de que su amada simplemente quería limpiarse. Concluida su obra, Helenita se puso de pie, con el aire indiferente de una gata que se levanta con los cachorros todavía colgados de las tetas, y le anunció que se iba a la cama. Si lo deseaba, él podía quedarse a dormir en el *living*. Y, como para subrayar la invitación, condujo a Guillermo a un sofá y lo empujó hasta acostarlo.

Observando la luz plomiza del alba, a Guillermo lo invadió una súbita oleada de tristeza: ya extrañaba a Helenita. Sus jugos sexuales se habían convertido en un engrudo que le embadurnaba el frente del pantalón. Guillermo cubrió las huellas con el sobretodo y se durmió rogando que todo el emplasto se secara lo antes posible.

8

A las dos de la tarde, lo despertó el ruido que hacían los empleados de la empresa de fiestas al plegar y apilar las mesas y sillas, y el entrechocar de la vajilla acarreada en pesadas cajas de latón. Guillermo se asustó al notar que estaba tapado con una frazada, que alguien debió de haber cambiado por su sobretodo mientras dormía. Se incorporó y, de espaldas a los que trabajaban en el *living*, examinó su ropa. El traje de alpaca estaba moteado de aureolas de semen seco y de manchas grisáceas por haberse revolcado por el suelo. Cuando se dirigía al baño a sacudirse la ropa, se topó con la madre de Helenita. Guillermo se asustó: no recordaba qué excusa había inventado antes de conciliar el sueño para explicar porqué se había quedado a dormir en la casa. Sin embargo, la madre no le preguntó nada, como si invitar amigos a dormir fuera una costumbre usual de su hija. Al salir del baño, Guillermo pasó por el guardarropa; su sobretodo era la única prenda colgada en el largo perchero; los regalos estaban sobre una mesa, pero no vio la orquídea.

Helenita ya estaba en la cocina, buscaba algo en la heladera; cuando lo oyó entrar, se dio vuelta y lo saludó con un beso en la mejilla –bastante frío para las expectativas de Guillermo–. Sacó una gran bandeja de cartón, cubierta por un repasador húmedo. "Sándwiches de miga", le informó. Guillermo atisbó por sobre el hombro de Helenita, la orquídea en su caja de celuloide brillaba bañada por la luz blanca de la heladera.

–¿Por qué la guardaron en la heladera?

–Así dura más –le respondió Helenita en tono expeditivo–. ¿Los querés tostados?

–Bueno –contestó Guillermo con docilidad. Supuso que ese día Helenita se había levantado de mal humor o que era una de esas personas a quienes siempre les desagrada hablar cuando recién se han despertado. La imagen de la orquídea en la heladera le chocaba por su incongruencia. Acaso porque habían mezclado la flor con los alimentos o, tal vez, por el hecho de que uno de los encantos del objeto que pretendían perpetuar radicaba en ser efímero.

Por momentos, a Helenita, Guillermo le resultaba irritante. Se acordó de una prima que, luego de la muerte del padre, se había casado con un hombre mayor que la amaba incondicionalmente. Cuanto más se desvelaba su marido por complacerla, más aburrida parecía la prima.

Helenita prendió una hornalla para tostar los sándwiches. Llevaba puesta una bata de goma espuma acolchada y unas viejas pantuflas que imitaban garras de león, descosidas en las puntas. Evidentemente, no se había preocupado por arreglarse. Guillermo no supo cómo interpretarlo: si era un modo de comunicarle que con él se sentía tan en confianza que se podía mostrar en ropa de entrecasa, o que le importaba tan poco que ni siquiera hacía el esfuerzo de vestirse. Guillermo se distrajo observando las musculosas pantorrillas de Helenita y los correosos tendones de deportista de sus talones de Aquiles. Lo asaltó la fantasía de arrodillarse detrás de ella, acariciarle las piernas y subir por los muslos hasta las nalgas; explorar su vagina con la cabeza debajo de la bata. Pero de inmediato apartó estas escenas de su mente: ensuciaban sus sentimientos hacia Helenita.

Mientras comían, Guillermo intentó conversar. Helenita le respondía con monosílabos que sonaban como gruñidos. Guillermo se abstuvo de interrogarla acerca de Ramón, aunque era el tema que más curiosidad le provocaba. Terminados los sándwiches, Helenita depositó sobre la mesa la imponente torta de cumpleaños. En lugar de cortar un par de porciones, se dedicaron a pellizcar los adornos de mazapán y las florcitas de pasta de azúcar de la decoración. Helenita ni siquiera lo miraba, de pronto se reanimó.

–¡Los regalos! –exclamó con el rostro iluminado por la excitación.

Esa tarde, Helenita examinó cuidadosamente la ropa y se probó algunas de las prendas. Se cambiaba precariamente escondida detrás de la puerta del placard y se asomaba a cada rato para consultar la opinión de Guillermo, a veces solo vestida con una blusa y en bombacha. Cuando Guillermo amagaba acercarse, Helenita alzaba el dedo índice y le ordenaba que permaneciera sentado. Él se desvivía por abrazarla, besarla, tirarla sobre la cama. "De chica odiaba que me regalaran ropa", le contó Helenita, concentrada en su figura en el espejo y por completo indiferente a los fervores que encendía, "solamente quería juguetes: Barbies, jueguitos de cocina, casitas para las muñecas. Ahora lo que más me gusta es la ropa". "Y la orquídea", agregó Guillermo mentalmente, con una sonrisa de satisfacción.

Le habían regalado demasiados perfumes. Helenita pronto quedó envuelta en una indescifrable maraña de fragancias y le pidió a Guillermo que le dejara probar algunos en su cuerpo. Guillermo se resistió, pero Helenita lo persuadió desabrochándole la camisa y acariciándole el pecho con una mano perfumada, hasta lograr que él se resignara a oler como una mujer. Luego Helenita revisó los cosméticos. Se pintó los párpados con sombras, que extraía con un pincelito de un estuche de maquillaje parecido a una caja de acuarelas. Cuando empezó a arderle la piel, enrojecida de tanto ponerse y quitarse pintura, le pidió a Guillermo que le prestara sus párpados para ver cómo lucía el resto de los colores.

Al principio, no pudo convencerlo aunque insistió, bailoteó a su alrededor suplicándole con las manos entrelazadas, esbozando sus mohines más compungidos, hasta que se enfurruñó y, frustrada y rabiosa, amenazó con echarlo de la casa. Finalmente, Guillermo accedió, seducido por el premio que Helenita le prometió. Lo ubicó de pie frente al espejo y le pintarrajeó los párpados con distintos colores. Cuando se cansó de pintarlo, Helenita se paró detrás de él y empezó a acariciarle los flancos y las caderas con ademanes insinuantes. Le desabrochó los pantalones, que cayeron enrollados sobre los zapatos dificultándole los movimientos. Metió la mano debajo de los calzoncillos y le enruló los pelos con los dedos; de pronto, Helenita abandonó las cadencias lentas, se abalanzó sobre Guillermo y le calzó el pubis entre las sorprendidas nalgas como si quisiera penetrarlo, con tanta brusquedad que Guillermo tuvo que apoyar las manos contra el espejo para no golpearse la cara. Helenita le rodeó el vientre con la mano izquierda, mientras con la derecha lo apresó por el miembro y comenzó a frotarlo con impaciencia. Atrapado, Guillermo observaba su cara maquillada en el espejo y sentía que ya no era el mismo. Un instante antes de que eyaculara, Helenita lo liberó del calzoncillo; los chorros de semen salpicaron el espejo.

Apenas se repuso del éxtasis, a Guillermo lo invadió la vergüenza. Se deshizo de las manos de Helenita, corrió al baño y regresó con un bollo de papel higiénico. Helenita estaba estudiando el semen con actitud científica, a Guillermo le costó apartarla para limpiar el espejo.

Al atardecer, Guillermo volvió a descolgar su sobretodo del perchero del guardarropa y se retiró de la casa. El encuentro le había parecido tan extraño y maravilloso que le costaba creer que hubiera sucedido realmente.

9

Celina enterró a su esposo cerca de la tumba de la madre y en ocasiones iba al cementerio en compañía de sus hermanas. Viuda consecuente, no volvió a casarse, al principio visitaba a su esposo todas las semanas. Llevarle flores comunes no le parecía suficiente, la única ofrenda acorde a la magnitud del amor que profesaba por su marido muerto eran las rosas negras. Como si hasta las flores tuvieran que vestir luto por el doctor Olmo. (Incluso Guillermo tuvo que llevar luto. Se libró del brazalete cosido en la manga pero no de la corbata negra, que se quitaba ni bien salía de la casa y se anudaba nuevamente cuando regresaba).

En su juventud, Celina había cultivado la costumbre de secar flores dentro de los libros; a veces, Guillermo las usaba como señaladores. El jugo de las rosas había impreso su silueta pardusca sobre las páginas amarillentas de los libros escolares y de los poemarios de la adolescencia de su mamá. En los primeros tiempos, Celina intentó fabricar rosas negras exponiéndolas al calor de una estufa de cuarzo, pero las flores se tostaban y adquirían un color marrón rojizo de carne asada o, a lo sumo, un negro arratonado que no la satisfacía. Más tarde, comenzó a utilizar luz eléctrica. Luego de varios experimentos, puso en funcionamiento un sistema de tres focos de veinticinco vatios, desde tres ángulos, a medio metro de distancia de las rosas. Guillermo le compraba pimpollos oscuros, color sangre de toro; los pimpollos podían empaparse de luz durante un período más prolongado. Mediante la combinación de luz, calor y polvo doméstico, las rosas sufrían una especie de cocción lenta, una larga carbonización que las viraba al negro. Todas las mañanas, Celina las rociaba con un vaporizador, las gotitas hacían el efecto de una lente de aumento. "Es para que se bronceen mejor", decía. A Celina no la desvelaba que no fueran auténticas rosas negras. "Más importante que ser es parecer", citaba. Ni siquiera se teñían de un negro intenso pero, para los esquemas de la percepción humana, cuando el espectador dubitativo debía decidir a qué color se aproximaban más, evocaba el negro.

Guillermo nunca se acercaba a las rosas. Demoraban tanto en teñirse que el agua se estancaba en los floreros y las impregnaba de un olor nauseabundo. La disparidad entre el perfume normal de las rosas y esta putrefacción que agredía las narices mortificaba a su madre. Celina trató de disimularla barnizándolas con una capa que las aislara de la atmósfera. Probó con el gel de sílice, el fijador de carbonilla en aerosol y distintas lacas. Las rosas quedaban rígidas y resplandecientes, con un brillo vítreo como cobertura de caramelo pero, aunque estas sustancias se ajustaban a las flores como una segunda piel, la impermeabilización no resultaba hermética y seguían oliendo como un cadáver mal embalsamado.

En sus fantasías diurnas, Guillermo se figuraba que su madre realmente había creado rosas negras y que escondía esta magia detrás del truco de cocinarlas bajo la lámpara, para que él no se asustara. A Guillermo lo acometía la ilusión de que venderían las flores, o la fórmula para crearlas, y recuperarían la riqueza perdida.

A los pocos meses de la muerte de su marido, Celina dejó de depositar las rosas negras en la tumba: la gente se las robaba. Trasladó el culto mortuorio a la intimidad de su casa. En una vitrina en su habitación, compuso un altar con un retrato del finado, un vaso con una vela siempre encendida a modo de lámpara votiva y las rosas negras, que renovaba todos los domingos en una liturgia privada como la que consagran los chinos a sus dioses familiares.

10

Si Guillermo supuso que semejante comienzo auguraba un romance perdurable, pronto se desengañó. La suma total de la relación con Helenita en esa etapa de sus vidas se redujo a dos invitaciones al cine a ver películas de terror –gusto que compartían–, una salida grupal a bailar, una cena en un restaurante de la Recoleta –demasiado caro para Guillermo–, algunas charlas durante los recreos en el buffet del colegio –donde él le convidaba Coca-Cola y alfajores de maicena–, y tiernas cartas de amor que Guillermo dejaba escondidas entre los libros y carpetas en el pupitre de Helenita.

El desenfreno del primer encuentro se repetía cuatro o cinco veces por fin de semana, cuando los padres estaban en el *country*. Helenita invariablemente lo colocaba en su posición favorita, excepto que en lugar del dormitorio la escena ocurría frente al espejo del baño. Con la fijeza obsesiva de un perverso, Helenita le daba a Guillermo siempre el mismo tratamiento. Lo acomodaba con las manos apoyadas sobre la mesada de mármol a ambos lados de la pileta, se ubicaba a sus espaldas y lo sujetaba firmemente por el vientre –con tanta fuerza que a veces Guillermo se doblaba vencido por el estrujón–, lo apretaba como si quisiera suprimir totalmente la separación entre los cuerpos. Recién entonces se adueñaba del pene. Cuando Guillermo estaba a punto de acabar, Helenita aumentaba la amplitud de los movimientos para lanzar el semen lo más lejos posible. La salida del semen la enloquecía, no podía parar de gritar excitadísima; luego permanecía embelesada contemplando los rastros del goce que chorreaban sobre el espejo. Como única innovación, cierta vez, en lugar de agarrarlo por el vientre, Helenita intentó meterle un dedo en el culo; Guillermo se soltó del abrazo espantado. Helenita le susurró al oído y le dio palmaditas, como si estuviera calmando a un caballo, hasta lograr que su *partenaire* volviera a asumir la posición deseada. Ella no se dejaba tocar, decía que era demasiado joven para perder la virginidad. Escasamente le concedía unos besos cansados, como si el juego amoroso fuera un trámite aburrido. Los domingos al atardecer, Guillermo regresaba a su casa feliz pero perturbado, invadido por el desasosiego de haber sido sometido a una pasividad extrema. Pensaba que hubiera preferido la congestión testicular que solían padecer sus insatisfechos amigos y que su "novia" –como ya la designaba para sí mismo– se comportase como cualquier chica de quince. Guillermo se prometía que el próximo fin de semana se impondría, aunque para ello tuviera que recurrir a la fuerza; pero el fin de semana llegaba y Helenita lo avasallaba nuevamente.

Helenita decidió que mantendrían el vínculo en secreto; le dijo que no quería contárselo a nadie hasta sentirse segura. A las cuatro semanas, Guillermo recibió la primera sorpresa amarga: Helenita lo plantó en una cita. Desde entonces, se negó a atenderlo por teléfono, no agradecía los ramos de flores que él le enviaba y en el colegio no se apartaba de sus amigas, a pesar de que en las cartas Guillermo le rogaba que le diera una oportunidad de hablar con ella a solas. La madre de Helenita intercedió por él y logró que le concediera un último encuentro, una redundante despedida cuando la separación ya se había consumado. Para Guillermo, lo más lamentable fue que Helenita intentara consolarlo proponiéndole que quedaran amigos.

Las misteriosas razones de este abrupto final, se le revelaron a Guillermo con horrible claridad cuando, a la salida del colegio, vio a Helenita montar una moto, abrazar por la cintura al chico de la moto y apoyar la frente sobre la espalda de ese chico, con su propia espalda estremecida por un acceso de risa, seguramente por algo que el chico de la moto le habría dicho. Guillermo tuvo que agarrarse de un árbol para no caer al piso, como si de un tirón le hubieran quitado la alfombra sobre la que estaba parado. Esa tarde de invierno caminó durante horas y horas, a cada paso tenía que detenerse a respirar hondo porque sentía que le faltaba el aire. Guillermo examinaba las fallas de su personalidad y se hacía promesas de que cambiaría su modo de ser; ideaba planes para reconquistar a Helenita que lo calmaban unos pocos minutos. "El viento frío infla mi sobretodo, mi cerebro es manteca bajo el cuchillo", se decía, buscando imágenes adecuadas para una variedad de desdicha que hasta entonces no había conocido. Robó el whisky importado de su padre, ahora comprendía el significado de la expresión "ahogar las penas". Durante varias semanas no pudo comer nada sólido; Celina le insistía con angustia, pero el alimento no le pasaba por la garganta. Aunque era muy delgado, perdió seis kilos.

11

Los pensamientos de Guillermo respecto de la desaparición de su padre estuvieron dominados por el dicho "No hay mal que por bien no venga" y otros basados en el consuelo por compensación: "A los ciegos se les agudiza el oído", "A golpes se hacen los hombres". Trató de reanimarse con la fantasía de que Dios nivelaría su desamparo con alguna retribución. Nada de esto ocurrió. A diferencia de su madre, que halló cierto desahogo en las labores fúnebres, para Guillermo la muerte de su padre fue pura pérdida. El doctor Olmo le había dedicado muy poco tiempo a su hijo y esa falta ya no podría repararse. Guillermo intentó reemplazar la tristeza por la preocupación por lo económico. Ya había practicado esta estrategia a los doce años, en ocasión de la muerte del padre de un compañero de escuela, el primer velorio al que había asistido. En esa época, trató de negar la desgracia que había sufrido su amigo invocando la cuestión de la supervivencia. ¿Con qué subsistiría esa familia? ¿Vivían en una casa propia o alquilada? ¿La madre tenía empleo? Guillermo deseó ser más grande para ponerse a trabajar cuanto antes.

La única lección programada que le impartió su padre fue invitarlo a ver *Las grandes maniobras*, una vieja película francesa. En el clima stendhaliano de un ejército de maniobras en una pequeña ciudad de provincia, los oficiales se preguntaban si el más atractivo de ellos –Gerard Philippe– lograría seducir a la bella de la localidad –Michelle Morgan–. El asunto los conducía a tramar una apuesta. Como era de prever, en contra de sus planes, el gallardo oficial se enamoraba realmente y, cuando la bella se enteraba de que la conquista había comenzado como un desafío entre muchachos, lo rechazaba ofendida. Guillermo se aburrió, no estaba acostumbrado a ver películas en blanco y negro. "Cuidate. Vos sos como yo: hombre de una sola mujer", le advirtió el doctor Olmo, cuando salían del cine. Guillermo lo miró de costado, deslumbrado por la repentina luminosidad de la calle o por la insólita declaración de su padre. Pero luego de pensarlo, concluyó que si bien su padre era un adúltero crónico, en verdad nunca se había separado de su madre.

El doctor Olmo no pudo aconsejarle a Guillermo cómo proceder con Helenita, murió tres años antes de que su hijo volviera a cruzarse con ella.

12

Cuando la vio en las escaleras de la facultad, Guillermo no se atrevió a saludarla. Además de la sorpresa de reencontrarla, lo intimidó la actitud. Esa noche, Helenita iba y venía nerviosa entre las columnas iluminadas de la Facultad de Ciencias Económicas, como si caminara sobre un escenario. Al principio, Guillermo se sobresaltó, creyó que hablaba sola; después se dio cuenta de que Helenita apretaba un aparato contra la oreja. Guillermo todavía no se había acostumbrado, en aquel tiempo casi nadie tenía teléfono celular. Enojada, Helenita subrayaba sus palabras con grandes ademanes, agitando el brazo libre como si su interlocutor pudiera verla.

En ese instante, Guillermo empezó a construir su mito amoroso. Interpretó el reencuentro como una señal divina; se dijo que las casualidades no existen, que sin duda estaban destinados el uno para el otro. Desatendió el hecho de que por lo menos había logrado dejar de extrañarla (porque, si bien no la había olvidado, ya se había curado de esa congoja de cachorro huérfano que lo hacía suspirar sin pausa, le impedía concentrarse hasta en los programas de televisión y lo impulsaba a levantarse de las sillas y deambular ansioso por la casa).

La causa de este enamoramiento recalcitrante constituía un enigma incluso para él mismo. Cuando lograba detenerse a reflexionar, solía atribuirlo a la belleza de Helenita. Había leído en el diccionario que "la belleza es esa propiedad de las cosas que nos hace amarlas". Curiosamente, las opiniones discrepaban, no todos celebraban la belleza de Helenita con el fanatismo de Guillermo; a muchos compañeros de la facultad les parecía una chica bastante vulgar, que no superaba la categoría de "rubia vistosa". Helenita misma nunca estaba conforme con su aspecto, pero nadie discutía que era una excelente promotora de sí misma. Junto con su novio de esa época se habían encargado de difundir "El episodio de la ovación en el estadio de Obras". Habían llegado tarde, cuando el recital (no importa a quién habían ido a escuchar, la estrella era Helenita) estaba a punto de empezar. Mientras avanzaban hacia sus asientos, los muchachos de la tribuna se paraban a su paso y la aplaudían. Helenita y su novio aseguraban que pronto todo el estadio se sumó al homenaje. Para algunos se trataba de una simple treta publicitaria, una anécdota inventada por Helenita y nunca desmentida por su presuntuoso novio. Guillermo aceptó la veracidad del episodio sin titubear.

Ajeno a estas controversias, el padre de Helenita –que tenía una fábrica de mallas– la ponía a desfilar sus bikinis como una modelo más. Flaca y alta, en la pasarela no desentonaba. Helenita incluso había participado de algunas fotos colectivas para avisos de revistas. Comentaban que salía bien en las fotos porque, como muchas modelos, tenía los rasgos muy pequeños. Si bien Helenita era extremadamente simpática, rara vez sonreía con toda la boca. Escuetas sonrisas de saludo, nunca sonrisas aplacatorias, de aquellas que se emplean para lubricar diplomáticamente los comentarios que pudieran disgustar al interlocutor o para anudar complicidades. Una amiga le explicó a Guillermo que Helenita no sonreía para no arrugarse; había empezado a cuidarse de la vejez a los dieciocho años.

Guillermo debía admitir que Helenita no era precisamente una muchacha refinada. Notaba cómo hacía uso –no sabía si también abuso– de un arma mortífera: el culo. Su culo perfecto. Cuando caminaba por los pasillos de la facultad, el tic-tac de metrónomo de sus nalgas obligaba a los estudiantes a darse vuelta para admirarla. (Un tic-tac amenazante como el de una bomba de tiempo. Quizás Helenita se preguntaba cuánto tiempo se mantendría firme el tic-tac de su culo, acaso ya comprendía que el tiempo es la verdadera bomba). "Tiene cinturita de avispa", decía alguno de sus compañeros al verla pasar, "y el aguijón en el culo. Con el culo te taladra el cerebro y no te la podés sacar de la cabeza nunca más". Para Guillermo pocas cosas se parecían menos entre sí que el aguijón de una avispa y las caudalosas nalgas de Helenita. Además, a él no había sido necesario taladrarle nada, su desgracia fue reincidir en el amor a primera vista. Como a los diecisiete años, Helenita penetró en el cerebro de Guillermo a través de los ojos. (Un neurocirujano demente lo hubiera aprobado como técnica quirúrgica, habría opinado que la vía natural de abordaje al cerebro es la órbita del ojo: el agujero ya está hecho, no hace falta trepanar el cráneo).

Pese a todo lo que se rumoreaba sobre ella, Guillermo se obstinaba en considerarla sublime. Para sostener esta creencia, coleccionaba signos de perfección que, según su madre, los hombres suelen pasar por alto. Por ejemplo, que Helenita no necesitaba depilarse, ni usar desodorante. (Helenita misma se encargaba de comunicar estas maravillas; aseguraba con tono tranquilo que, simplemente, ella no transpiraba ni le crecían pelos fuera de lugar). La delicadeza de los sentimientos de Guillermo se reflejaba en su atención por la microscopía corporal de su amada: la delgadez casi transparente del cabello en su nacimiento en las sienes, el brillo nacarado de la piel sobre el filo de las clavículas, el pliegue en "Y" que se formaba en la unión entre las axilas y los senos. Guillermo había aprendido a captar los detalles de cierto tipo de belleza femenina –quizás algo pasada de moda–, en las charlas con su madre. Y, precisamente, para Guillermo Helenita olía como para muchas madres huelen sus bebés. Él lo llamaba "Olor a azúcar". (Le evocaba la dulzura intensa que se percibe al abrir una lata de leche condensada). Años más tarde, Guillermo acabó por no saber si este olor entrañable emanaba de Helenita o si ya estaba dentro de su propia nariz y se desencadenaba cuando la veía, porque se dio cuenta de que también lo sentía cuando divisaba a Helenita a lo lejos, fuera del alcance de su olfato.

13

Restablecer el vínculo fue fácil, Helenita de inmediato lo incorporó al harén de sus seguidores; más complicado le resultó a Guillermo conducirse con alguna desenvoltura. Como si lo espolvorearan con un apresto invisible, en presencia de Helenita se ponía rígido y aparatoso. Por más que tratara de relajarse, lo inundaba una solemnidad almidonada y le hablaba como en ciertas películas argentinas, declamando los parlamentos directo a cámara. Bastante más alto que ella, Guillermo se las componía para mirar a Helenita desde abajo; adelantaba la cabeza y arqueaba el cuello como una tortuga, en una especie de reverencia perpetua. Helenita le recomendaba que usara crema desenredante para que el pelo le quedara lacio; le sugería que se depilara el puente de la nariz, donde las cejas se le unían en una sola línea; cuando, obediente, él la complacía, Helenita se burlaba y lo llamaba maricón. Guillermo se quedaba mirándola, herido y confuso, sin comprender que Helenita se lo decía en broma.

Como a varios de los candidatos que la merodeaban, Helenita hubiera permitido que Guillermo la besara –además conservaba un buen recuerdo de los encuentros eróticos que habían tenido hacía cuatro años–, pero Guillermo no se animaba a intentarlo. Apaciguaba los reproches por su cobardía diciéndose que los sentimientos en juego eran demasiado serios como para arriesgarse a un rechazo.

Helenita tenía muchos amigos, solían ir a bailar a discotecas, siempre se movían en grupo. Cuando los varones estaban solos, se jactaban de sus conquistas sexuales. Guillermo desaprobaba los comentarios atléticos y despectivos hacia las mujeres; las sonrisas vanidosas cuando explicaban cómo habían logrado llevarse a alguna a la cama. Entre los que integraban el grupo había reaparecido Ramón Izarreta, que también estudiaba en la Facultad de Ciencias Económicas. Ramón relataba sus andanzas eróticas con el mismo engreimiento que el resto pero, cuando se refería a Helenita, abandonaba el tono deportivo y hablaba con un respeto que alarmaba a Guillermo y lo sumía en la desesperación de las sospechas y los celos.

14

Ramón le caía sumamente antipático. Por supuesto, los enemistaba la competencia por Helenita, pero también le disgustaba la agresividad constante que su rival desplegaba. Cuando estaba con él, Guillermo siempre se sentía intranquilo. El estado de excitación de Ramón le recordaba cómo le había sorprendido la violenta reacción efervescente la primera vez que tomó sal de frutas. La rapidez con que brotaron enérgicas burbujas, la urgencia del aire atrapado dentro del agua por reunirse con el resto del aire. Guillermo notaba que, además de impulsivo, Ramón era malévolo. Aprendía boxeo y usaba un anillo muy grueso en el dedo medio de la mano derecha para que sus puñetazos causaran más daño. Ramón se regocijaba con la fantasía de muchos boxeadores: entablar combates verdaderos, libres de las reglas del ring. Uno de sus recursos para inventarse adversarios era provocarlos en las escaleras mecánicas de los *shoppings*. Descendía con la mirada fija en la escalera contraria, cuando sus ojos se encontraban con los de otro hombre, le lanzaba un desafío mudo, una inesperada mueca de desprecio. Algunos desviaban la vista, desconcertados; otros lo examinaban sin pestañear, apáticos, distraídos, ausentes. Si entraban en contacto, las miradas se enlazaban y se mantenían unidas unos instantes, por esa especie de magnetismo visual humano, compuesto de curiosidad por discernir intenciones agresivas o sexuales y de temor de no reconocer una cara conocida. Antes del momento de máxima proximidad con Ramón –el punto en que se cruzarían–, casi todos sus potenciales "contrincantes" ya habían concluido que se hallaban frente a una mera provocación. Ninguno aceptaba pelear, Ramón jamás se topó con otro "Ramón". Tal vez los desalentaba su aspecto temible: demasiado corpulento, con la cabeza grande y redonda como una pelota de fútbol; Ramón destapaba las botellas de Coca-Cola con los dientes y después doblaba la chapita entre los dedos pulgar e índice, primero en dos pliegues y luego en cuatro.

Sin embargo, un amigo del grupo de Ciencias Económicas le contó a Guillermo que Ramón no siempre salía triunfante. Este amigo lo conocía del colegio. Cuando tenían catorce años, la hermana mayor de uno de los compañeros actuaba en una obra en el Teatro San Martín. Hacía un desnudo de torso. Ramón llamaba a este compañero por teléfono y le decía que ya había ido a verla varias veces; que no aguantaba hasta regresar a su casa, que se tenía que masturbar en el intervalo, en el baño del teatro; que todos los días se masturbaba con las imágenes de las tetas de la hermana. Años más tarde llegó la revancha: el compañero se puso de novio con la hermana de Ramón. Los fines de semana, la familia Izarreta solía viajar a su estancia en Punta Indio; la hermana prefería quedarse con su novio en la Capital. En cierta oportunidad, Ramón regresó del campo antes de lo previsto y consiguió pescarlos desnudos en la cama matrimonial de los padres.

Como en los duelos de caballeros del pasado, el compañero le propuso que se enfrentaran al amanecer, en una cancha de *squash* vacía. Se dijo que el combate duró menos de cinco minutos y que Ramón llevó la peor parte. El compañero lo castigó con una ferocidad extraordinaria y totalmente imprevista. Había comenzado a practicar artes marciales en la época de los llamados telefónicos injuriosos, planeaba la venganza desde hacía seis años. Estrelló a Ramón contra todas las paredes de la cancha de *squash*, lo pateó en el suelo hasta cansarse; además de innumerables heridas y magullones, le fracturó el antebrazo derecho y cinco costillas. Después, el compañero le tiró una esponja húmeda y lo obligó a los golpes a limpiar la sangre de las paredes y del piso. Ese mismo día rompió el noviazgo con la hermana. Logró que el daño fuera doble: la hermana no le dirigió la palabra a Ramón durante meses.

Ramón difundió historias que los moretones y el brazo en cabestrillo desmentían: que su adversario era homosexual, que con su hermana había resultado impotente, que enseñaba karate y luego les hacía masajes chinos a sus alumnos, que terminaba masturbándolos y les limpiaba el semen del vientre con pañuelos de papel. "Es muy higiénico", se burlaba Ramón buscando lastimosamente la complicidad de sus oyentes. También anunciaba que le iba a romper la cara ni bien se curara. Nadie le creía. "Este Ramón, mucha fuerza pero poca técnica", dictaminaron los amigos al analizar la pelea.

En cierta oportunidad, Ramón se sinceró con Guillermo –ambos estaban borrachos–. Ramón hablaba sin mirarlo; inclinado sobre un plato de comida, con la mansedumbre de un herbívoro, empujaba el alimento hacia su boca usando el tenedor como una pala. Ramón le contó cuánto amaba el campo. En la estancia de Punta Indio, se acostaba al anochecer y se levantaba con la salida del sol; seguía el ritmo de la luz natural, como los animales. Ramón le habló de las silenciosas rondas de mate con los peones al amanecer, de las recorridas a caballo para inspeccionar las alambradas y los potreros de pastura. Exhibía orgulloso las manos bronceadas y callosas, con las uñas rotas y sucias de las tareas rurales. "La vida en Buenos Aires me aburre, es tan rutinaria que parece una película porno". Guillermo no pudo evitar sentir una corriente de simpatía hacia su adversario; pensó que si uno escuchaba las motivaciones de cualquier hombre, pronto lo comprendía y la enemistad se debilitaba.

15

A Helenita la irritaba el altruismo egoísta del amor. No entendía con claridad el origen de su exasperación pero, cuando alguno de sus novios, con el pretexto de que la amaba, pretendía opinar sobre su vida o, simplemente, le deseaba el bien, Helenita enfurecía. Que se arrogaran derechos de propiedad sobre ella la enojaba casi tanto como los machacantes razonamientos de los enamorados rechazados, cuyo común denominador era: "Me querés pero no te animás a reconocerlo. Te da miedo entregarte". A Helenita también le fastidiaban los celos y, en general, que la tomaran como objeto de pasiones vehementes; no obstante, a pesar de que Guillermo pertenecía a esta última categoría, aceptó su invitación a cenar.

Guillermo la llevó al lugar más especial que conocía: el restaurante del Club de Pescadores, un muelle que se internaba en el río, en la Costanera Norte. Dispuesto a consumar un despliegue de seducción insólito en él, Guillermo logró que su madre le prestara el auto del doctor Olmo (luego de una interminable serie de recomendaciones. "Manejá con cuidado, mirá que a ese coche le gusta correr. No lo rayés en el estacionamiento". Pero, sobre todo, al precio de soportar un sofocante abrazo de su madre, conmovida por la emancipación de su hijo que ya usaba el auto del padre). Después de la muerte del doctor Olmo, la vieja *coupé* Mercedes Pagoda se había convertido en una reliquia exclusiva de Celina.

Un auto pequeño en relación a su hipertrofiado motor de ocho cilindros, con una sed de nafta propia de un alcohólico. Su madre –que nunca había aprendido a manejar– le negaba el Mercedes con la excusa del gasto, pero Guillermo sabía cómo custodiaba Celina las cosas que habían pertenecido a su venerado esposo.

El mozo los condujo a una mesa al aire libre, en una terraza lateral; el viento movía las cortinas y despeinaba a Helenita. Pidieron ensalada de hojas verdes y lenguado. Guillermo miraba comer a Helenita y ella, incómoda de que la observara, concentraba su mirada en la carne blanca del lenguado en la punta del tenedor. A Guillermo le costaba hablar, nada de lo que iba a decir lo conformaba, descartaba sin piedad cada frase que se le ocurría. Para colmo, no podía evitar ausentarse de la situación y refugiarse en sus especulaciones teóricas. "Si la belleza es esa propiedad de las cosas que nos hace amarlas, ¿cuál es el orden causal? ¿La amo porque me parece bella o me parece bella porque la amo?" Guillermo esperaba que Helenita le preguntara en qué estaba pensando, pero cuando se lo preguntó, él se retrajo: "En nada", contestó nervioso. Ella frunció los labios con disgusto; "un enamorado constipado", sonrió Helenita para sí y siguió comiendo.

Arrepentido, Guillermo trató de mostrarse espontáneo; reanudó la conversación encaminándola hacia temas neutros: chismes de los compañeros de la facultad, predicciones para los próximos exámenes. Helenita le respondía con apatía. Demasiado pendiente, Guillermo traducía cada uno de los gestos de Helenita de acuerdo a un código previsible: "Me quiere / no me quiere". Guillermo la miraba con una intensidad que no coincidía con las trivialidades de las que charlaban; se encerraba, y asfixiaba a su amada en la atmósfera enrarecida que él mismo producía. "Este tipo es un aparato", sentenció por fin Helenita desalentada. No obstante, debió reconocer que algo de él le atraía. Pensó que siempre había salido con muchachos menos complicados pero bastante más aburridos;

a algunos los había usado para lucirse, se había adornado con ellos. Helenita gozaba de un notable éxito con los hombres. En los comienzos de su adolescencia, cada nueva confirmación de su poder la confundía, le llevó bastante tiempo acostumbrarse. Ahora consideraba estos enamoramientos como una enfermedad masculina de origen desconocido, por la cual ciertos hombres quedaban pegados a ella. Lo soportaba casi como un fenómeno natural, con la misma resignación con que un campesino acepta los caprichos del clima.

Desde la Costanera fueron al puerto de Olivos. En el auto siguieron hablando de asuntos poco comprometidos, hasta que Helenita, con ironía, lo acusó de ser muy enamoradizo. Al principio, Guillermo lo interpretó como un elogio. "Muero por ella, eso sin duda la halaga". Después, cuando lo repasó mentalmente, captó el tono de rechazo; se dio cuenta de que para Helenita "enamoradizo" significaba "cargoso", "baboso", "regalado", en resumen: poco atractivo. El desdén de su amada lo dejó paralizado, permaneció en silencio el resto del viaje.

En el puerto de Olivos, Guillermo estacionó el auto frente al río. Estaba demasiado oscuro como para apreciar el paisaje, solo se distinguía la franja de las aguas iluminadas por la luna. Pasearon por el muelle. Un pescador solitario recogía la línea, daba tirones a la caña arqueada y rebobinaba el *reel* a toda velocidad; por fin, un pez brilló en el círculo de la luz del muelle, daba saltos en el aire en la punta de la caña. "Me gustan los peces por las escamas: son plateadas", dijo Helenita con aire soñador. Regresaron al auto y a la charla insulsa. Guillermo esperaba el momento en que, agotada la conversación, ambos se quedaran callados y se miraran a los ojos. Le resultaba muy brusco precipitarse directamente desde las palabras a las acciones físicas. Su cautelosa técnica amatoria requería de ese contacto mudo para iniciar el abordaje. Helenita le contaba muy entusiasmada los detalles de la boda de una amiga, Guillermo esperaba con impaciencia; sin embargo, cuando ella dejó de hablar, él no soportó el ansiado silencio, lo interrumpió con una pregunta que relanzó el relato de su amada. A la mezcla de rabia contra sí mismo se sumó la urgencia de que Helenita volviera a callarse y le diera una nueva oportunidad de tocarla. Pero la situación terminó de estropearse. Dos guardias de la Prefectura que hacían su ronda por el muelle pasaron cerca del auto. Helenita dijo que la Prefectura vigilaba que los chicos malos no se propasaran con las chicas buenas. Aunque Guillermo se dio cuenta de que lo decía en broma, no pudo evitar tomarlo en forma literal. Ya no se animó a besarla.

16

En el feriado de Semana Santa, Ramón invitó al grupo de la facultad a la estancia de la familia Izarreta en Punta Indio. Dado que Ramón estaba demasiado concentrado en Helenita como para atender al resto de los invitados, sus padres debieron oficiar de anfitriones. El señor Izarreta parecía un ogro bueno. Un hombrón alto y carnoso, con una nariz más carnosa aún y los ojos entoldados por cejas de acromegálico; rasgos que contrastaban con la delicadeza de sus modales. Caminaba con el cuello encogido entre los hombros como si, avergonzado de su aspecto temible, quisiera escamotear su cuerpo gigantesco de todas las miradas. Ramón y su hermana eran versiones desmejoradas del padre, (más bajos, más toscos). Daba la impresión de que la madre pertenecía a otra familia, observándola se podía conjeturar que no había aportado ni un solo gen a sus hijos.

Durante el almuerzo, Guillermo escuchó que la señora Izarreta le comentaba a su marido: "Creo que lo de esta chica va en serio, mirá que para que Ramón no se pase todo el día con sus perros..." En el campo, Guillermo no durmió bien. Trataba de mantenerse despierto para vigilar con los oídos los movimientos de la casa, en particular, los furtivos cambios de habitación. Le preocupó notar que Helenita se sentía a sus anchas: daba indicaciones a la cocinera, acompañaba a los huéspedes a sus cuartos y parecía llevarse muy bien con la madre de Ramón.

Ramón les propuso a sus compañeros una caminata para favorecer la digestión y, de paso, conocer las instalaciones de la estancia. A doscientos metros de la casa principal, se alzaban varios cobertizos de madera y chapa acanalada; uno contenía maquinaria agrícola, monturas y aperos de labranza, otro albergaba una empaquetadora de cítricos y pilas de cajones de fruta, el tercero era el establo de las ovejas.

Cuando Ramón abrió la puerta, el galpón exhaló una onda de calor maloliente que golpeó a los invitados y los hizo retroceder al borde de las náuseas. Aunque el anfitrión insistió, solo consiguió que unos pocos aceptaran entrar. El lugar estaba pobremente iluminado por la luz de unas pantallas infrarrojas; las ovejas mordisqueaban el heno de los pesebres con lentitud, entorpecidas por la calefacción y las emanaciones de su propia grasa cutánea que les chorreaba por los flancos. Uno de los compañeros comentó con asombro que ignoraba que se criaran ovejas en la provincia de Buenos Aires. "Son de raza Corriedale", dijo Ramón muy serio, y añadió a la defensiva: "Las metemos en el establo porque se ponen delicadas de los pulmones después de la esquila". Pero de inmediato cambió de humor: "esta necesita un corte de pelo", anunció tratando de resultar gracioso. Embretó a una oveja en un cepo de madera, tomó una esquiladora eléctrica y empezó a pelarla aunque se notaba que había sido esquilada hacía poco. Ramón le rapó el lomo, las ancas y los muslos, en algunos sitios le dejó los restos de vellón que tenía; la oveja quedó como un gigantesco perro caniche. Apareció la piel rosada, realzada por la luz rojiza de los calefactores. Ramón comenzó a sobar la espalda de la oveja, sus manos iban y venían amasando la piel desnuda. Señalando las ancas del animal que retrocedía luchando por sacar la cabeza del cepo, invitó con voz seductora: "¿No se montarían una borreguita?" "¿Es un servicio de la estancia para consolar a los paisanos?", preguntó uno de los invitados. "A que no te la montás", lo desafió otro a los gritos. Ramón se paró detrás del animal y lo agarró de los ijares. Guillermo oyó que la única mujer que había entrado al establo le susurraba a alguien que Ramón era un asqueroso. Con la mirada fija en los manoseos de Ramón, casi en trance, Guillermo se sobresaltó al percibir la inesperada turgencia de su miembro presionando contra la bragueta del *jean*; decidió que era hora de salir a respirar aire fresco.

La familia Izarreta era adicta a la caza. Ese fin de semana, organizaron una especie de cacería de la zorra; una cacería de la zorra de país subdesarrollado: sin zorra. Tampoco contaban con caballos para todos los invitados, pero este impedimento no representó un verdadero problema: la mayoría prefirió no participar. Helenita aceptó con entusiasmo y Guillermo, resignado, tuvo que montar a caballo –por primera vez en su vida– para vigilarla. La madre y la hermana de Ramón se pusieron trajes de caza ingleses, apropiados aunque algo raídos; el resto se vistió de cualquier manera. Por delante de la caballada, lanzaron una jauría de perros sabuesos que localizaban a las presas y las espantaban con sus ladridos; la familia le disparaba a todo lo que emergía de una madriguera o correteaba asustado: liebres, ratones, perdices, armadillos, vizcachas y conejos. "De paso, limpiamos el campo de estos bichos de porquería, que cavan pozos que les quiebran las patas a los caballos", le informó a Guillermo la hermana de Ramón, que cabalgaba a su lado. Los invitados, sin armas, contemplaban pasivamente cómo la familia Izarreta cazaba. Un par de peones a pie trotaba detrás de la tropa y cobraba las piezas abatidas. Esa noche comieron un asado de caza menor. Los invitados examinaban la carne con desconfianza, como a un pescado infestado de traicioneras espinas, luego de que uno de ellos casi se rompiera una muela al morder un perdigón.

Apenas se despertaba, Ramón corría a ver a los perros. Criaban dogos argentinos y los entrenaban para la caza del jabalí. Perros bravos, con cicatrices en la cara y las orejas desflecadas o directamente reducidas a muñones. Los adiestraban desde cachorros en peleas con jabalíes cautivos, para llevarlos a cazar cuando cumplieran un año. Guillermo comentó que hallaba a los dogos extraordinariamente parecidos unos a otros; Ramón le explicó que solo los cruzaban entre parientes consanguíneos. Ante el gesto de reprobación –y repugnancia– de Guillermo, Ramón sonrió; admitió que el incesto contravenía las normas de la buena crianza y que, a pesar de que los tatarabuelos eran de pedigrí, no podían registrarlos en el Kennel Club, pero ya no les importaba. Ramón y su padre se proponían lograr el máximo grado de semejanza, orientados por el ideal –aunque lo sabían imposible– de producir ejemplares idénticos. Por supuesto, únicamente criaban animales con las características que deseaban perpetuar. Bautizaban a los recién nacidos con el nombre de la madre o del padre, (ellos mismos madre e hijo, padre e hija o hermanos) según a quién de los dos se parecieran más, y les agregaban un número para distinguirlos del progenitor.

La reproducción incestuosa había sido idea del padre de Ramón. Hombre extremadamente sensible, se deprimía hasta caer en cama cuando alguno de sus perros moría, eventualidad muy frecuente en la caza del jabalí. Ahora recordaban a los dogos muertos –sobre todo por su fidelidad y bravura–, pero se apresuraban a enterrarlos y recuperaban su imagen física en los hijos. Estos "dobles" ayudaban al padre a conservar la ilusión de que sus amados compañeros aún vivían. De algún modo, eran siempre el mismo y único perro.

–Como si fueran inmortales –se ufanó Ramón.

–¿Y las cicatrices? –inquirió Guillermo, sin sospechar que el triunfo sobre su rival sería tan sencillo.

–Sí, las cicatrices arruinan el parecido –admitió Ramón con pesar.

Los dogos tenían nombres alusivos a su blancura y ferocidad: Fantasma II, Colmillo IX, White killer III, Moby Dick VII. Guillermo sentía una inclinación espontánea hacia los perros, pero ese fin de semana comenzó a detestarlos. Nunca acarició a los dogos de Ramón, los apartaba enojado cuando los animales trataban de olfatearle la entrepierna con sus hocicos húmedos. Los veía como una raza degenerada, una mutación que había engendrado perros albinos.

–Son perros canosos –se burló Guillermo.

–El blanco es el mejor color para diferenciarlos del jabalí y no dispararle a tu perro. Es muy difícil hacer puntería cuando dos o tres dogos están sujetando a un jabalí, el bicho se mueve como loco. Por eso prefiero cazarlo a cuchillo: acercarme lo suficiente y clavarle un cuchillo en el corazón.

Ramón le contó que así los cazaba su abuelo, el primer Ramón Izarreta, patriarca de la familia y fundador de la empresa metalúrgica. Sobre la chimenea del *living* había una foto enmarcada. El epígrafe decía: "Jabalí de doscientos kilos cazado a cuchillo en Bernasconi, La Pampa, por cuatro cazadores con dogos argentinos". El animal colgaba de la rama de un árbol; en la foto, amarronada por los años, la pelambre erizada del jabalí se confundía con la rugosidad de la corteza del árbol.

Sin embargo, ese fin de semana Ramón no empleó sus dogos, decidió apostarse al acecho para la caza con lanza. Los peones habían fabricado una especie de cebo, lo llamaban "El revolcadero". Un pozo del largo y ancho de una tumba, de algunos centímetros de profundidad, empapado de gasoil. En sus recorridas por el monte, los jabalíes lo descubrían y se revolcaban sobre el gasoil para librarse de los parásitos; solían retornar al pozo como a los sitios donde abrevaban.

En cuclillas frente al revolcadero, Ramón estudiaba las huellas y la tierra hozada por los jabalíes. Le gustaba sentir la camisa tirante sobre los músculos de la espalda. Les comentó a sus compañeros que, por las cicatrices en los troncos y la corteza arrancada, un padrillo grande, de más de ciento cincuenta kilos, integraba la piara.

Se había hecho fabricar por un herrero lanzas similares a las que usaba la policía rural sudafricana. Jabalinas cortas, de un metro veinte, de madera pesada, con un remate metálico en la base que a Guillermo le recordaban el asta de la bandera de ceremonias de la escuela. Disponía de varias lanzas, un peón se las transportaba en una bolsa de palos de golf. Pero este *caddie* no tenía que recomendarle qué palo emplear, todas las jabalinas eran iguales. "No conozco a nadie en la Argentina que cace con lanza", se pavoneaba Ramón delante de sus compañeros de facultad, mientras esperaban que aparecieran los jabalíes.

17

Las mujeres preparaban las ensaladas y los hombres tomaban vino y charlaban alrededor del peón que se encargaba del asado. El plato principal era un jabato que Ramón había logrado cazar de un lanzazo. Yacía boca abajo sobre la parrilla, abierto en canal; su carácter de naturaleza muerta quedaba subrayado porque el cuero aún conservaba algunos pelos y lo cocinaban con la cabeza –era un ejemplar demasiado chico como para que el taxidermista lo transformara en trofeo.

Guillermo no podía despegar los ojos de Helenita. La voracidad de esa mirada era tan evidente que no se requería una gran perspicacia, ni un desinhibido instinto animal para detectar la carga de deseo. "Si te vuelvo a ver mirándola así, te cago a trompadas", le dijo Ramón a Guillermo con una sonrisa, tal vez destinada a disimular su enojo delante del resto de los compañeros. "Estás avisado". Guillermo desestimó la seriedad de la amenaza; acaso porque ambos habían bebido bastante o porque el tono, pavorosamente tranquilo, no coincidía con el contenido de la frase o porque cuando llegó la hora de volver, Ramón le ofreció llevarlo de regreso a Buenos Aires junto con Helenita.

Guillermo aceptó la amable invitación encantado de poder interrumpir la intimidad entre Ramón y Helenita. Pronto se percató de que a Ramón le interesaba menos viajar a solas con Helenita, que capturar a un varón que le sirviera de público y soportara en silencio los interminables detalles de sus hazañas viriles y que, de paso, asistiera en persona a la ejecución de una de estas “hazañas”, que consistía en correr por la ruta en su Nissan Pathfinder provocando a la policía, desafiándola a alcanzarlo a doscientos kilómetros por hora; hábito que no figura entre las rutinas de la policía de la provincia de Buenos Aires, que prefería esperarlo en las zonas urbanizadas, táctica eficaz con otros conductores, pero inútil con Ramón, que conocía todos los atajos para eludir los puestos camineros. Curiosamente, Ramón desconfiaba del espejo retrovisor, a cada instante daba un brusco cabezazo para mirar hacia atrás con sus propios ojos.

El tema único y exclusivo de las anécdotas de Ramón era la caza. “Relatos de salvajes ataques contra otros animales”, sonrió Guillermo que lo oía sin casi prestarle atención. En el asiento trasero, conectada a un *walkman*, Helenita lanzaba risitas de causa desconocida. Ramón no le preguntaba de qué se reía y ni Helenita ni Guillermo le pedían que disminuyera la velocidad. Ramón hablaba de oportunidades en las que había herido a un jabalí o a un ciervo colorado y de la felicidad que le producía rastrear la sangre que él mismo había derramado. Le preocupaba que no siempre lograba que sus perros soltaran las orejas o los testículos del jabalí cuando él se los ordenaba; a veces trababan las mandíbulas y no aflojaban la presión ni siquiera después de muertos.

De repente, a Guillermo se le ocurrió que la enigmática risa de Helenita era una instigación a burlarse juntos de Ramón, *el Jabalí*, Izarreta; del *Perro* Ramón; de Ramón, *el Dogo*. Con una imprudencia desacostumbrada en él, Guillermo, sentado en el sitio del copiloto, metió la mano derecha por el resquicio entre la puerta y el borde de su butaca y empezó a tocarle la pantorrilla a Helenita. Al principio, con palmaditas cómplices, como si acudiera al llamado de su amiga a aliarse contra el tirano que los sometía a sus historias tremebundas; pero luego, al ver que Helenita no retiraba la pierna, excitado ante esta concesión muda, Guillermo aumentó la intensidad de las caricias, a pelo y contrapelo, untando la superficie pulida de esa piel que no necesitaba ser depilada. Helenita le atrapó la mano y, con furiosa energía, tiró de ella hacia arriba, para arrastrarla hasta el centro más sensible. Guillermo quedó con el brazo doblado a sus espaldas, en una especie de llave de lucha libre. Lejos de asustarse, temerario, relajó todo lo que pudo la articulación del hombro e inclinándose hacia atrás se dejó llevar. Su mano se deslizó en medio de un oleaje de carne encendida, sus dedos fueron conducidos entre los muslos temblorosos de su amada, que se abrían y cerraban con espasmos de alas de mariposa. Helenita dejó de reírse pero, en lugar de suspirar o gemir, empezó a tararear una canción; cantaba casi a los gritos, en un volumen altísimo para el espacio de la cabina de la 4 x 4, como si el *walkman* le impidiera escucharse. Guillermo especuló con que el *Perro* Izarreta, *el Chancho Salvaje* Ramón, estaría demasiado ocupado con sus cuentos de caza y con la tensión de manejar a tanta velocidad, como para darse cuenta de la coreografía que Helenita y él componían en su presencia. Cuando Ramón volteaba para reemplazar el poco fiable espejo retrovisor por la visión directa, sus ojos recorrían un amplio arco; si en ese momento los faros de algún auto que marchaba en sentido contrario hubieran iluminado el interior de la Pathfinder, Ramón habría notado la posición antianatómica de Guillermo, la forzada torsión de su cuerpo. Pero este peligro no arredró a Guillermo; apremiado por Helenita, sus largos dedos continuaron avanzando por el tibio desfiladero de los muslos, como las patas pálidas de una enorme araña, hasta que hizo tope en una región más caliente y húmeda, ahora sí –por fin– velluda. Guillermo creyó percibir con la punta de los dedos que Helenita no se había puesto bombacha –tal vez la sostenía corrida hacia un costado para facilitarle el acceso–. Imaginarse que Helenita no usaba bombacha inflamó su erección hasta el límite de lo soportable. Apretado por la áspera tela del *jean*, su miembro trataba de abrirse paso desesperado, como una foca que, a punto de ahogarse bajo una gruesa capa de hielo, buscara con angustia un agujero por donde sacar la nariz. Una emergencia imposible de aliviar con su mano izquierda, libre, sin que Ramón lo advirtiera. De pronto, Helenita se crispó en torno de la muñeca de Guillermo y congeló su avance; se quedó quieta, alerta. Guillermo observó por el ángulo del ojo que Ramón practicaba uno de sus giros retrovisores, en el instante exacto en que un auto los deslumbraba con sus luces altas y convertía el interior de la 4 x 4 en una brillante película en blanco y negro, de un blanco crudo, enceguecedor.

Durante mucho tiempo, Guillermo se debatió intrigado por la falta de respuesta de Ramón. ¿Por qué no había reaccionado si los había pescado en pleno trance? Un verdadero enigma. O no había entendido el significado de lo que había visto o le había parecido tan inconcebible que no lo dio por cierto. Esa noche, Guillermo descubrió cuánto lo había estimulado la amenaza de Ramón pero, sobre todo, se dio cuenta de cuánto lo desinhibía no mirar a Helenita que, a sus espaldas, se había transformado en una mujer anónima sin, por otra parte, dejar de ser su amada Helenita, por quien valía la pena arriesgarse a que Ramón lo moliera a golpes. Un extraño efecto liberador que se prometió aprovechar, se percató de que le sería más fácil abordar sexualmente a Helenita en completa oscuridad.

18

Quizá complacido por la sumisa atención de Guillermo o tal vez por considerar que ya había exhibido su coraje con holgura, un rato antes de arribar a Buenos Aires, Ramón dejó de fanfarronear con sus historias de caza y se entregó a confesiones más íntimas. Empezó a hablar de su admiración por su abuelo industrial y cazador y de cómo le fastidiaba que sus padres estuvieran emperrados en que trabajara en la empresa familiar. Ramón soñaba con convertirse en cazador profesional, en guía de safaris en África.

Según Ramón, el abuelo metalúrgico había sido un padre terriblemente severo, partidario de los castigos "higiénicos". Si los hijos decían malas palabras, no se conformaba con lavarles la lengua con jabón; cuando el padre de Ramón tenía nueve años, en una oportunidad le fregó la cara contra la tabla de lavar. La crueldad educativa del abuelo terminó cuando murió su hijo mayor. En un verano en Mar del Plata, un amigo le había contagiado a este hijo el vicio de robar las tapas de los tanques de nafta; aunque actuaba con mucha cautela y escondía su colección de tapas de nafta en un baldío cercano, el abuelo de Ramón lo descubrió y lo castigó con saña: le infligió la vergüenza de devolver personalmente las tapas una por una, y además le prohibió salir de la casa en los casi dos meses que restaban de las vacaciones. A los quince años, el tío que Ramón no pudo conocer se pasaba los días de sol transpirando en su habitación, mirando la calle por la ventana. Al regresar a Buenos Aires, le diagnosticaron leucemia y murió ese mismo invierno. Por supuesto, el abuelo nunca pensó que los castigos tuvieran alguna relación con la muerte de su hijo, pero el pesar de haberle arruinado el último veraneo lo mortificó el resto de su vida. Marcado por esta historia desgraciada, el padre de Ramón había actuado con blandura en la educación de sus hijos. Ramón se quejaba de que los había consentido demasiado; esta modalidad había funcionado mejor con la hermana que con él, que desde chico había sido muy travieso y que en la escuela no lograba concentrarse. Guillermo percibió en Ramón un tono de desdén hacia el padre, comprendió que en el fondo estaba de acuerdo con la severidad del abuelo metalúrgico.

Guillermo se despidió de Helenita y de Ramón con toda naturalidad. Excepto por la sonrisa socarrona de Helenita, que se había mudado al asiento del copiloto y lo saludó con la mano cuando la Pathfinder se puso en marcha, nadie hubiera adivinado que entre ellos había sucedido algo fuera de lo común.

19

Dos semanas más tarde, con una discreción contraria a su costumbre de dar publicidad cada uno de sus actos, Helenita viajó repentinamente a Australia y se lo anunció solo a sus amigas más íntimas. La partida tomó a Guillermo por sorpresa. Después del afiebrado encuentro en la 4 x 4, se abrió una grieta de tristeza en la relación, al menos para los anhelos de Guillermo. Su único consuelo fue que Helenita y Ramón se separaran sin haber llegado a ser claramente –o declaradamente– novios. Guillermo esperaba encontrar a Ramón debatiéndose entre el desconsuelo y el resentimiento de que lo hubieran abandonado. Sin embargo, la versión de Ramón invertía los motivos de la ruptura: Helenita se habría ido de viaje harta de que él la descuidara. Guillermo hubiese querido pensar que esta explicación derivaba de su vanidad de hombre despechado, pero debió reconocer que no se alejaba tanto de los hechos: él mismo había padecido la pasión de Ramón por la caza. Por otra parte, su rival se repuso de inmediato y pronto conquistó a una chica de la facultad aún más codiciada que Helenita. Guillermo atribuía el éxito de Ramón con las mujeres a su actitud viril y decidida, a que se mostraba seguro de sí mismo hasta la arrogancia pero, sobre todo, a que provenía de una familia con mucho dinero.

Helenita viajó a Perth, Australia, a visitar a Lisa. La había alojado en su departamento de la calle Arribeños dos años antes, en el marco de un plan de intercambio estudiantil. Durante la estadía de Lisa en Buenos Aires se habían hecho muy amigas.

Según los retazos de historia que Guillermo pudo recoger a su regreso, Helenita y Lisa se enemistaron de manera irreparable cuando Helenita, de veintiún años, emprendió un romance con Tom, el padre de Lisa, un periodista de cuarenta y seis. Un romance que incluyó una larga estadía en Gran Bretaña –Tom había conseguido que lo nombraran corresponsal del *Swan River Herald*–, para escapar de la maledicencia de la provinciana Perth. Un asunto muy desagradable –alarmante– para la señora y el señor Vega, los padres de Helenita.

Guillermo languideció los meses de espera, repasando una y otra vez las escasas piezas de su "Colección Helenita": un pañuelo con rastros del perfume *L'air du temps*, que su amada había olvidado sobre el respaldo de la silla de un bar –Guillermo compró un frasco del mismo perfume para mantener viva la reminiscencia–, las fotografías que le había tomado en secreto y la única carta que Helenita le había escrito. Guillermo deseaba que Helenita hubiese conservado con el mismo cariño la orquídea que él le había regalado, pero dudaba seriamente que hubiera actuado de esa manera. Cuando extrañarla alcanzaba la intensidad de un dolor físico, la contemplación de los *souvenirs* lo consolaba mejor que sus meros recuerdos. Guillermo reservaba este recurso para los momentos depresivos graves; debía dosificar su uso como el de cualquier droga: el efecto disminuía con la reiteración.

Previsor, anticipándose a la posibilidad de que Helenita desapareciera de su vida de nuevo como a los diecisiete años, al poco tiempo de reencontrarla, Guillermo había comenzado a sacarle fotos sin que ella se diera cuenta. Le había confiscado a Celina la máquina de fotos de su padre, una Nikon con un juego de lentes que incluía un poderoso *zoom*. Se apostaba a más de cien metros de la casa de Helenita y la acechaba cuando salía cada mañana, como los detectives que su madre había contratado años atrás para desenmascarar las infidelidades del doctor Olmo. Para no desatar la suspicacia de los porteros que barrían las veredas, Guillermo escondía la máquina dentro de un amplio impermeable y la gatillaba a la altura del pecho sin enfocar. En las fotos, Helenita aparecía con su típica cara de malhumor matinal, caminando deprisa, haciéndole señas a un taxi con la mano en alto; como siempre, llegando tarde a la facultad o a la fábrica del padre. Fue la primera vez en la que Guillermo notó que percibía el olor a leche condensada de su amada a gran distancia; captaba lo que no existía con el olfato afiebrado de un perro enfermo de nostalgia.

La perla de su colección era una carta escrita en una hoja de cuaderno, con la letra redonda y cargada de rulos de Helenita; le pedía que le fotocopiara unos apuntes de clase –Guillermo tomaba notas a velocidad taquigráfica–. Al pie de la carta, Helenita había pegado un autoadhesivo, una carita *Smile* amarilla. En la época de la carta, Helenita tenía veinte años; hasta Guillermo, el hechizado, la juzgó una conducta infantil. Al lado del autoadhesivo sonriente, Helenita había firmado: *Luv from Helen*. Con esta fórmula, su amiga Lisa remataba las cartas que le enviaba desde Perth, Australia, para no abusar del *love from*... Aunque Guillermo sabía que *Luv from Helen* era una expresión tan "amorosa" como el "Querido Guillermo" que encabezaba la carta, no podía dejar de repetirse que allí Helenita le declaraba su amor.

20

Cuando Guillermo volvió a encontrarse con ella nueve meses más tarde, en las vacaciones de verano en Pinamar, notó que Helenita estaba distinta. La primera sorpresa fue enterarse de que su amada había tenido un romance con un hombre mucho mayor. No obstante, como la aparición de un competidor era la eventualidad más temida, saber la verdad acabó con el tormento de tantos meses de sospechas y le produjo un paradójico alivio. Ciertas secuelas de la aventura con el padre de Lisa podían deducirse, otras saltaban groseramente a la vista. Así se explicaba que Helenita hubiera contraído una súbita adoración por las flores silvestres; cada dos o tres días cargaba el auto con grandes ramos de espadañas, plumerillos y manojos de retama rosada que recogía al borde de la ruta. Ahora todo la conmovía: la mirada de los niños, la fidelidad de los animales domésticos, las trajinadas manos de los viejos. En el cine lloraba ante escenas que a sus amigas no les movían un pelo. Acostumbradas a la Helenita práctica, sensata e irónica, la mujer que había regresado de un largo viaje por Australia y Escocia, inflada de cursilería y con los sentimientos desbocados, las dejaba perplejas.

Helenita hablaba mucho con sus amigas, necesitaba comprender lo que le había ocurrido con Tom. Sumaba este fracaso a sus supuestos fracasos sentimentales anteriores y estaba angustiada. Dudaba de sí misma, se preguntaba si vivía anestesiada emocionalmente.

¿Por qué nunca se había enamorado? Se decía que acaso idealizaba tanto el amor que cuando se presentaba bajo sus estilos habituales no lo reconocía como tal.

Para las desconfiadas, lo de Helenita era mera actuación: solo interpretaba la pantomima de la muchacha amorosa; las crédulas o indulgentes afirmaban que aun las apariencias más frívolas y engañosas crecen de raíces genuinas. Unas y otras se preguntaban cuánto duraría este cambio de carácter, con escepticismo pronosticaban que muy poco. Sin embargo, no todo era ternura; la vieja mordacidad de Helenita se transformaba en violencia cuando alguna de sus amigas rechazaba su nuevo dogma amoroso. Sobre todo les fastidiaba que Helenita les recomendara con insistencia que intentaran contemplar "el Rayo verde"; en especial, porque para ella había resultado una experiencia fallida.

Londres era la sede habitual de la corresponsalía del *Swan River Herald* pero, con la excusa de escribir una serie de notas sobre el condado de Perth, Escocia, para los lectores de Perth, Australia, Tom logró que le costearan los viáticos para recorrer Escocia. Su familia provenía de un clan de las *Highlands* –algunas generaciones atrás, un antepasado incontinente y de carácter colérico, había asesinado a un pretendiente de su madre viuda y lo habían sentenciado a cadena perpetua en Australia–. Visitaron a unos tíos abuelos de Tom que vivían en una finca, que Helenita describió en una carta a sus padres como un castillo –el supuesto linaje aristocrático consoló en parte a la madre de Helenita, funcionó casi como una indemnización después de tantos disgustos–. Tom bailó con su tío abuelo vestido con el *kilt* de tartán, con el *pouch* golpeándole el pubis en cada salto, las medias sujetas por cordones cruzados y calzado con toscas albarcas de cuero de toro. Si hubiera sabido cómo, habría tocado la gaita.

Cuando Tom le sugirió que leyera *Le rayon vert*, de Jules Verne, sin atisbos de pudor, Helenita le comunicó que era demasiado haragana como para emprender una tarea tan ardua. Tom le rogó que, por lo menos, leyera los párrafos que él había subrayado. Consiguió desbaratar la negativa de la ex amiga de su hija, revelándole que la heroína de la novela se llamaba Elena. La coincidencia de los nombres le causó a Helenita una mezcla de curiosidad y temor, como si el texto encerrara una profecía que le incumbiera directamente. Helenita encaró la lectura con urgencia, apurada por averiguar qué le había sucedido a la protagonista, como si estuviera condenada a repetir el destino de su tocaya.

Las páginas subrayadas estaban al principio del libro; describían las condiciones atmosféricas imprescindibles para la aparición del Rayo verde ("un fenómeno que se observa en un horizonte de mar, durante una puesta de sol, con el cielo despejado y limpio de niebla"); la técnica a emplear ("acechar con fijeza el instante en que el astro resplandeciente lanza su último rayo y la porción superior de su disco desaparece rozando la línea de agua"); y las características del fenómeno ("no se verá un rayo rojo, como podría preverse, sino un rayo verde, pero de un verde maravilloso, de un verde que ningún pintor puede obtener en su paleta"). El libro informaba que el Rayo verde poseía la característica de que quien lo viera no se equivocaría jamás en cuestiones sentimentales; quien lo contemplara podría ver con claridad en su corazón y en el de los demás.

En una gira de turismo literario, el padre de Lisa llevó a Helenita a pasear por el mismo circuito que los personajes de *Le rayon vert*. Se hospedaron en el antiguo hotel Caledonian, visitaron Helensburg –un poblado cerca de Glasgow–, el balneario de Oban y algunas islas del grupo de las Hébridas, en el litoral atlántico escocés. Varias tardes se apostaron sobre los acantilados de basalto a esperar la puesta de sol. Tom vio el Rayo verde tres veces; Helenita, ninguna; una gran frustración para ambos. Él le describía en detalle lo que debía percibir y ella solo acababa deslumbrada de tanto mirar el sol y quedaba enceguecida durante un largo rato.

De regreso a Buenos Aires, Helenita se justificaba a sí misma diciendo que no había podido ver el Rayo verde porque Tom no le gustaba: tenía los cabellos demasiado rubios para ser hombre. En este detalle coincidía con la mitad de sus amigas, para quienes los pelos blondos eran un signo de blandura; a la otra mitad, los rubios le cortaban la respiración.

La tercera vez que Helenita no vio el Rayo verde (en un cielo seco y tenso como un vidrio a punto de rajarse) a Tom le dio un ataque de rabia; exasperado por lo que juzgaba una evidente resistencia de su amada, la insultó, la sacudió por los hombros y le asestó un par de bofetadas. Helenita decidió que ya había tenido bastante con este hombre de ojos grises aguachentos y rubicundas y venosas mejillas de alcohólico; que había dejado de comportarse como un caballero escocés para tratarla como el australiano de mediana edad que había seducido a una amiga de la hija, ansioso por reciclar su vida.

A pesar del fin de la aventura amorosa, Helenita retornó de Escocia contenta: ahora poseía el secreto del Rayo verde. Según su particular interpretación, el poder de este fenómeno óptico excedía "la capacidad de no equivocarse en cuestiones sentimentales y de ver con claridad en su corazón y en el de los demás". Helenita le atribuía al Rayo verde una limitación que suponía a la vez una ventaja: solo podía observarse en compañía de un amor verdadero. Por eso no le preocupó no haberlo visto con Tom; que no se le hubiera presentado no le restaba confiabilidad, simplemente demostraba que Tom no era el hombre indicado para ella.

Helenita se figuraba que para descubrir al hombre de su vida le bastaba con exponerse con la mayor cantidad de aspirantes ante el Rayo verde, esa potencia cósmica imparcial en su soberana indiferencia, ese oráculo inhumano, esa sabiduría que emanaba directamente del sol.

En las vacaciones en Pinamar, aceptó invitaciones que sonaron inconcebibles para los que la conocían y asedió a hombres que casi no le interesaban (con varios de ellos rogó que el Rayo verde no apareciera). Sus amigas estaban tan desconcertadas por este régimen de promiscuidad programada que ni siquiera la censuraban. A pesar de las inclinaciones del grupo por los pronósticos amorosos, jamás habían oído hablar del Rayo verde. Muchas de ellas se dedicaban a "deshojar la margarita" de manera automática; el método más común se asemejaba a un ejercicio rudimentario de Lengua y Matemáticas: cuando se topaban con cualquier serie de números –boletos de colectivo, documentos de identidad, códigos de barras–, la sumaban hasta obtener una cifra de uno o dos dígitos y vinculaban el resultado con el orden de las letras del abecedario, la letra que salía correspondía a la inicial del nombre del futuro amado. Las amigas encaraban estos juegos mecánicamente, sin verdadera convicción, los menospreciaban como un resabio de la adolescencia; en cambio, Helenita parecía preferir una revelación mágica antes que sus propios sentimientos. Ese verano, Helenita profesó el Rayo verde con auténtico fanatismo, estaba atrapada por el absurdo de reconocer la presencia del amor por signos que no tenían ninguna relación con el amor.

21

Si bien Guillermo la había seguido hasta Pinamar –con dinero prestado por un tío generoso que trabajaba como agente de la Bolsa–, no se hacía demasiadas ilusiones de lograr salir con ella. Con el curso de los días, se dio cuenta de que sus posibilidades eran mayores de lo que había previsto. Las amigas de Helenita les habían contado a sus respectivos novios la historia del Rayo verde. A los varones no les interesó demasiado la última locura que Helenita había importado de Europa, se encargaron de difundir únicamente la parte jugosa del chisme: que a Helenita le gustaba ver el amanecer con un hombre distinto cada noche. La rapidez con que Helenita tomaba y descartaba a sus compañeros estimulaba las fantasías eróticas de los muchachos, mientras que las amigas reprobaban esta conducta que juzgaban poco femenina y peligrosa para las parejas constituidas. "¿Si sale con todos, por qué no va a salir conmigo?", se dijo Guillermo con una alegría fácil, que de inmediato se quebró en abatimiento: él sólo sería uno más en una larga lista de pretendientes.

Antes de que se le ocurriera una manera aceptable de proponérselo, Helenita le sugirió que la invitara a salir. Guillermo estaba parado en la orilla, contemplando abstraído el mar dorado por la luz del crepúsculo. Las olas lo habían ido enterrando en la arena hasta los tobillos sin que se diera cuenta. Helenita aprovechó la oportunidad para pescarlo a solas. Se le acercó y de un modo franco, casi descarado para los escrúpulos de Guillermo, le preguntó si quería salir con ella esa misma noche. Guillermo la observó aturdido, sintió cómo su rostro se calentaba y empezaba a latir como si su corazón hubiera subido hasta el centro de su cabeza. Con los pies hundidos en la arena, había quedado a la misma altura que Helenita; esquivó los ojos de su amada y echó una mirada hacia atrás –donde Ramón y el resto de los varones tomaban mate sentados en un círculo de sillas de playa–, antes de tartamudear un tímido "bueno".

Helenita citó a Guillermo en su casa a las dos de la madrugada, se excusó por la hora aduciendo un compromiso familiar. Luego de varias experiencias con hombres cargosos y aburridos –pero resuelta a no deshacerse del candidato hasta el amanecer–, Helenita optaba por abreviar la primera fase del encuentro.

Lo hizo pasar a su habitación. A Guillermo le asombró la cantidad de floreros de diversos tamaños y materiales –la gran mayoría, improvisados con botellas de plástico de gaseosa cortadas por la mitad– que invadían toda superficie plana disponible. Guillermo empezó a estornudar. Tal vez se debiera a la alergia que le causaba el polen (las mazorcas de las espadañas, soltaban un vello blancuzco, leve y pegajoso, que vibraba en el aire), quizás, al nerviosismo de hallarse a solas con Helenita después de tanto tiempo. Ella le trajo un vaso de agua y un rollo de papel higiénico para que descargara en él su crisis de estornudos. Por fin, se restableció el silencio, Guillermo asintió detrás de su nariz roja e hinchada y Helenita empezó a hablar.

Guillermo tuvo que admitir que Helenita había vuelto del viaje muy cambiada: hablaba con una locuacidad y una abundancia de gestos inédita en ella. También le inquietó la precisión brutal con que se refería a las cuestiones carnales (nunca se las había relatado de un modo tan descarnado) pero, sobre todo, lo alarmó que Helenita le confesara que estaba muy preocupada. Según Guillermo, a ella nunca nada le preocupaba; era la persona con más confianza en sí misma que había conocido. Pero ahora, justamente, Helenita decía que ser tan segura de sí misma se había convertido en un problema. Estaba convencida de que los hombres se enamoraban porque parecía no necesitarlos. Cuanto menos le importaban, más se aferraban a ella. Helenita se quejaba de que siempre se le adelantaban; no alcanzaba a desearlos, escasamente se enteraba de lo que sentía hacia ellos. El amor se le confundía con la simpatía, la curiosidad por lo nuevo, la atracción sexual, el cariño, la costumbre y, por encima de todo, se regía por la influyente opinión de sus amigas. Estaba completamente desorientada. Helenita aspiraba a un amor que no le dejara ninguna duda, un amor que la sacudiera y atravesara como una fuerza de la naturaleza. Buscaba la respuesta en una gran prueba, un prodigio equivalente a la magnitud del sentimiento que anhelaba experimentar.

Guillermo se dio cuenta de que Helenita estaba enojada, como si el amor fuera una persona malintencionada, un enemigo que la lastimaba al no dejarse apresar. Acaso por una cuestión de educación, Helenita le preguntó a su paciente interlocutor cómo estaba. Hasta entonces Guillermo había permanecido callado. No le molestaba escucharla, al contrario, mientras ella hablaba él tenía la excusa perfecta para mirarla a su antojo. Guillermo empezó a contarle su plan de trabajar en la Bolsa con su tío Ezequiel, cuando se recibiera de economista el año siguiente. De pronto, la madre de Helenita irrumpió en la habitación. Guillermo sospechó que la señora Vega había estado escuchándolos detrás de la puerta, y que apenas su hija finalizó el relato de sus dificultades amorosas y él empezó a hablar de sus proyectos laborales, la madre había perdido el interés y había decidido entrar a saludarlos.

"No se queden hasta muy tarde que mañana va a ser un día de playa", recomendó la señora Vega. "Y vos no te metás en la cama con los pies pintados que me ensuciás las sábanas", le advirtió irritada a su hija. Mientras Guillermo hablaba, Helenita se pintaba la piel. "*Body painting*", le había comunicado a Guillermo sin levantar la vista de su obra. Él sintió que Helenita tenía derecho a no prestarle demasiada atención, ambos sabían que, como siempre, impedido de expresar lo que sentía, Guillermo no diría nada importante: no podría decirle que estaba loco por ella; al contrario, el enamoramiento lo encerraba en una timidez hermética, tenía la impresión de que sus sentimientos eran tan descomunales que se le atoraban, que no le pasaban por la garganta. Se odiaba a sí mismo por tener que someterse a su ridículo y mentiroso papel de amigo. Para colmo, aunque él no lo confesara, Helenita sabía que seguía enamorado. "¿Cómo anda el mudo?", preguntaban las amigas, que comprendían a la perfección el motivo por el que Guillermo se quedaba sin palabras ante su amada.

Helenita se pintaba los pies reconcentrada, con la lengua asomando por una esquina de los labios y la planta del pie apoyada sobre la mesita de luz, dejando a la vista parte de los muslos y de la bombacha. Trazaba un dibujo ondulado, con rizos, arabescos y flores; diseños psicodélicos de moda antes de que Helenita naciera. "Son pinturas inglesas, especiales para *body painting*, salen con agua", le explicó Helenita. Se mojó la punta de un dedo con saliva y borroneó el dibujo del empeine. "Cuando me meto en el mar se me va todo". Guillermo no podía sacar los ojos de esos pies desnudos; esta fijeza compulsiva lo inquietaba, tenía miedo de que Helenita se enojara. Recordó la noche en que la había acariciado en la 4 x 4, la memoria táctil de esas piernas lisas lo estremeció: era como una estatua de mármol tibio. Abrazar para siempre a Helenita representaba su idea del Paraíso; pero la estatua era él mismo, contemplarla lo petrificaba.

Ella cambió el estilo *flower power* por una sucesión de trazos rectos que subían rápidos por las pantorrillas y los muslos. Grandes pinceladas que reproducían el recorrido de los huesos largos, el reptar de un esqueleto que señalaba con impaciencia una región de húmedas expectativas. Helenita se ilusionaba con que Guillermo repitiera su número de la Pathfinder. Esa noche la había enloquecido de excitación con su temerario desafío a Ramón; ahora, en cambio, su galán la miraba con una sonrisa inofensiva que la enfurecía, quería borrársela de una cachetada. El amor de Guillermo le resultaba ovejuno, viscoso, interminable; Helenita prefería el sexo, que tenía un principio y un fin. Abatido, Guillermo deseó que las pinturas fueran fosforescentes, así contaría con un pretexto para apagar la luz; suponía que en la oscuridad se atrevería a tocarla. Helenita le habló de Tom, de cómo era el sexo con un hombre experimentado, abundó en detalles anatómicos y comentarios sobre laboriosos ajustes entre órganos. "Él me pintaba ciertas partes del cuerpo y después me limpiaba la pintura con la lengua. Al final, le quedaba la lengua marrón por la mezcla de colores". Guillermo lamentó que su amada hablara con tanto descuido. No sabía que, según su nueva doctrina, Helenita no sentía necesidad de seducirlo, de callarse ni de esconder nada; cifraba todas sus esperanzas en el veredicto del Rayo verde, su ordalía privada.

De repente, Helenita se incorporó, "vamos a caminar", propuso con expresión de fastidio. A Guillermo lo asaltó el desaliento; pensó que Helenita se consideraba muy compleja y sofisticada, pero en realidad era una mujer con anhelos idénticos al resto de las mujeres: le gustaba que el hombre fuera "bien hombre". Guillermo no se daba cuenta de que Helenita sentía que él la embestía con perseverancia y que ella temía ceder a sus reclamos sin desearlo realmente. A veces se lo imaginaba como un escarabajo protegido por un caparazón insensible a todo rechazo, en tanto ella se veía a sí misma indefensa como una larva sin piel.

Salieron al jardín, los caracoles habían aparecido después de la lluvia; Helenita atrapó uno, se lo colocó sobre el antebrazo y se sentó sobre una pila de ladrillos de cemento. Guillermo se sentó al lado de ella con un opresivo sentimiento de congoja en el pecho. El caracol dejaba una estela de baba sobre el vientre blanco del antebrazo. Helenita se lo quitó y lo aproximó bruscamente a la cara de Guillermo, que retrocedió más por la sorpresa que por la repugnancia. "¿Te da miedo un pobre bichito?", se burló Helenita y se acercó el caracol a los labios como si fuera a besarlo. Se quedaron en silencio, a Guillermo la emoción le impedía hablar. De pronto, se tomó desprevenido a sí mismo y, en un impulso, le pasó una mano sobre el hombro. Helenita levantó la vista hacia él con una sonrisa y se apretó contra su cuerpo. Guillermo sintió que lo invadía una felicidad tan intensa que se le escapó una lágrima. No se movió, ni exhaló un suspiro para que Helenita no se diera cuenta de que lloraba.

Al rato, Helenita comenzó a echar impacientes miradas al cielo y a su reloj. Se deshizo del abrazo de Guillermo. "¿Vamos a ver el amanecer a la playa?". Él ya sabía que se lo propondría pero optó por disimular. Se pusieron en marcha. En la calle, en la semipenumbra previa a la aurora, Guillermo se animó nuevamente a pasarle la mano por el hombro.

22

Helenita lo condujo hasta su punto de observación preferido: un médano muy alto en un extremo despoblado de la playa, a varios cientos de metros del último balneario. A Guillermo le gustó la sensación de caminar entre las dunas solitarias como si pasearan por un desierto, efecto apenas desmentido por el rumor del mar asordinado por las montañas de arena. Se apostaron en la cresta del médano, de cara al sitio por donde se elevaría el sol. Una vez más, Helenita sintió el alivio de no tener que mirar el sol de frente, como en los crepúsculos del Atlántico Norte, con los párpados fruncidos en una mueca que le acarrearía inexorables arrugas; ahora solo debía fijar la vista en el instante en el que el sol emergía del agua. Como si fuera una curiosidad sin importancia, Helenita le dijo a Guillermo que observara si distinguía un destello verde justo antes de la aparición de los rayos rojizos del sol. El eco de un comentario se encendió en la mente de Guillermo tratando de alertarlo, pero él no dirigió su mirada hacia el horizonte; lo distrajo un resplandor más deslumbrante, no tenía ojos para otro paisaje que no fuera el de Helenita. El espléndido amanecer –el centelleo plateado del mar, los cambios de color del cielo– únicamente sirvió de marco a su amada. Luego, cuando comenzó a asomar, el sol le bañó de color miel la piel y el casi imperceptible vello rubio sobre los antebrazos.

Con solo mirarle la cara, Helenita comprendió que Guillermo había pasado por alto la luz verde; su gesto no se parecía en nada a la expresión extática de Tom inflamado de ilusiones amorosas. Ante la insistencia de Guillermo, Helenita le explicó el significado del Rayo verde; bastante decepcionada ella misma, cansada de no verlo, ya empezaba a dudar de su existencia.

–¿Así que eso es el Rayo verde? –dijo Guillermo muy afligido, al darse cuenta de que había perdido la que luego llamó "La oportunidad de mi vida". Se reprochó no haber prestado suficiente atención cuando sus amigos hablaban del fenómeno–. ¿No es una superstición? –arguyó, en un intento desesperado de relativizar la validez de la prueba.

–Sí, pero me parece tan romántico –le respondió Helenita, con un suspiro demoledor–. Quizá no se presenta porque lo busco al amanecer en lugar del ocaso, como dice la novela –murmuró como reflexionando para sí misma–; pero, acá por lo menos está despejado; en Escocia el cielo siempre se cargaba de nubes y con Tom volvíamos al hotel porque sabíamos que el clima nos impediría verlo.

–¿Una novela?

–*El rayo verde*, de Julio Verne.

–Para ver una puesta del sol sobre el mar tendríamos que viajar al Pacífico –comentó Guillermo, lamentando su falta de cultura y prometiéndose que conseguiría esa novela cuanto antes.

A medida que hablaban, Helenita notaba el abatimiento de Guillermo. Sin demasiada conciencia de lo que hacía, en contra de sus propias normas, se apiadó de él y resolvió concederle una segunda oportunidad. Acaso, su propio fracaso en la captación del Rayo verde –ni siquiera lograba alucinarlo–, influyó en esta repentina decisión: idear una prueba de amor más realista, descubrir hasta dónde era capaz de llegar un hombre por complacerla. En el camino de regreso pasaron frente a un jeep estacionado cerca del parador de un balneario, todavía estaba mojado de rocío nocturno.

"Es un Land Rover", exclamó Helenita excitada y le propuso robarlo para dar un paseo por la playa, "después lo devolvemos, nadie se va a dar cuenta". Guillermo se detuvo paralizado por el dilema, no se animaba a robar un auto pero era Helenita quien se lo pedía. ¿Le fallaría nuevamente? Optó por tomarlo como una broma y siguió caminando. "Te lo dije en serio", le reprochó Helenita a sus espaldas.

Helenita desistió de encontrar el amor por medios mágicos infalibles y volvió a salir con Ramón. Les confesó a sus amigas que con Ramón tampoco había visto el Rayo verde, pero que por lo menos se divertía. "Y tiene mucha plata", pensó Guillermo con amargura, asombrado de que Helenita –o cualquier persona– opinara que Ramón era divertido. Después se enteró de que la diversión consistía en robar jeeps de doble tracción y correr a la madrugada por los médanos entre Pinamar y Villa Gesell. A raíz de este hábito, los respectivos padres tuvieron que rescatarlos un par de veces de la comisaría. A Ramón le encantaba desafiar a los policías, les prodigaba un cóctel de partes iguales de coimas e insultos racistas. Guillermo también escuchó el rumor de que Helenita y Ramón se paseaban desnudos, Helenita decía que le gustaba sentir el viento en la piel. Que Ramón anduviera desnudo no le llamaba la atención, en su opinión era un salvaje, pero su Helenita... Sumido en la tristeza, Guillermo rumiaba pensamientos absurdos, deseaba que desaparecieran todos los jeeps, y extendía la condena a todos los vehículos con motor a explosión, en particular las motocicletas, que tanto pesar le habían ocasionado hacía unos años. "Maldito Ramón, mil veces maldito", mascullaba Guillermo, transpirado en sus pesadillas.

23

Ese invierno Helenita y Ramón se casaron. Guillermo se angustió, en cualquier momento la desgracia se tornaría irreversible: tendrían un hijo y Helenita quedaría unida a Ramón para toda la vida. Los novios abandonaron la facultad, Ramón empezó a trabajar en la empresa metalúrgica de la familia. Guillermo pensaba con resentimiento que, en realidad, Helenita no había renunciado a las ciencias económicas, sencillamente había tomado un atajo más directo hacia el dinero. Guillermo intentó reducir el casamiento a una cuestión de números, como en los chismes de las revistas de la farándula: "Mujer de cuarenta y seis que estuvo casada con millonario de setenta y cinco obtuvo quince millones a raíz del divorcio y se puso de novia con hombre de treinta". Estaba convencido de que ese era el motivo secreto de la preferencia de Helenita por Ramón Izarreta.

Antes, a Guillermo le daba lástima que Helenita estudiara ciencias económicas, le parecía una carrera demasiado precisa e inflexible, como si el rigor de los números fuera a herir la delicada piel de su amada. Recordaba una nota que había leído acerca de la aspereza de la piel del tiburón; amasada con calcio y silicio, rasposa como una lija, capaz de tajear la piel humana con solo rozarla. Siempre le había extrañado que Helenita se fatigara sobre los libros como una estudiante cualquiera, pero mucho más le asombraba que finalmente hubiera elegido casarse con *el Jabalí* Izarreta que, para

Guillermo, encarnaba la suma de todo lo despreciable. Pensaba que este acto desenmascaraba la verdadera aspiración de Helenita: adquirir la solidez metalúrgica de la familia Izarreta.

"Helenita, Helenita", gemía Guillermo en la cama a oscuras, y lograba provocarse el llanto con solo pronunciar en voz alta el nombre de su amada u oler el perfume del pañuelo que le había robado. Para mantener vivo el olor, ya no precisaba perfumar el pañuelo, ahora lo alucinaba; funcionaba del mismo modo que el olor a leche condensada de Helenita: lo percibía aunque la viera en una foto. Guillermo manoseaba sus heridas para impedir que cicatrizaran, se arrancaba la piel como un niño autista. Cualquier mención a Helenita equivalía a remover el cuchillo en la herida; un cuchillo cuya hoja, entreverada con redes de sangre coagulada, taponaba y restañaba la hemorragia a condición de que se lo mantuviera quieto.

Guillermo acechó al cartero durante días y días, y en la misma semana de la boda concluyó, desconsolado y ofendido, que Helenita y Ramón no lo habían invitado. Ni siquiera lo habían hecho partícipe de la ceremonia religiosa. Resolvió ir a la iglesia de todas maneras. Reemplazó la pesadumbre de que lo hubieran excluido por la duda acerca de qué regalarles. Pensó en objetos cálidos, de madera o de tela, para demostrar que los quería y que no era una persona fría (como decían los que confundían su timidez con soberbia). Finalmente, no se decidió por nada.

En la iglesia, Guillermo recordó una canción que cantaba su madre cuando él era chico: "Blanca y radiante va la novia / la sigue atrás el novio amante / y al unir sus corazones / harán morir mis ilusiones". Su único goce fue observar la cara de odio de Ramón cuando saludó a Helenita. "No tenés nada que hacer acá", le dijo Ramón con los dientes apretados, salpicándole la oreja con saliva al hablar. "Si volvés a acercarte a Helenita te rompo la cara".

24

A pesar de la amenaza, al día siguiente Guillermo fue a despedirla a Ezeiza. Helenita y Ramón viajaban de luna de miel a Miami. Guillermo sufría un fenómeno de atracción irresistible, más propio de insectos que de humanos; la eventualidad de no saludar a Helenita ni siquiera se le había cruzado por la mente. Cuando Ramón divisó a Guillermo avanzando hacia ellos por el amplio hall del aeropuerto, frunció el ceño disgustado. Resolvió que tomaría su represalia desapasionadamente, casi como un trabajo. Se encaminó hacia Guillermo con la expresión de fastidio de un jefe obligado a sancionar a un subordinado, lo interceptó veinte metros antes de que alcanzara al grupo que rodeaba a Helenita y lo agarró del brazo.

–Te avisé que no quería volver a verte –dijo Ramón.

–Pero, nosotros somos amigos –balbuceó Guillermo con un tono de desolación tan elocuente que sonó casi verdadero–. ¿Cómo no voy a despedirlos?

–Te dije que no quería verte cerca de Helenita –repitió Ramón y le apretó el brazo hasta que las puntas de los dedos desplazaron los músculos y se clavaron en el hueso. Guillermo lanzó un gemido–. Esto lo vamos a tener que discutir en privado. Acompañame.

Convencido de que Guillermo lo seguiría, Ramón le soltó el brazo y empezó a caminar. Guillermo comprendió que su captor lo conducía al baño y que allí le pegaría, pero no escapó. Al principio, pensó que lo obedecía para no pasar por cobarde delante de su amada; pronto se dio cuenta de que esperaba una compensación por esta docilidad de cordero de sacrificio: ser alguien para ellos. Que Ramón lo golpeara era un modo de admitir que Guillermo estaba implicado con Helenita. De todas maneras, ningún dolor podría superar al que ya sufría, al contrario, ansiaba que un dolor físico mitigara el dolor de su corazón.

Ni bien atravesó la puerta, Ramón lo agarró de las solapas y empezó a zamarrearlo.

–¿Para qué viniste? Te avisé, no digas que no te avisé –jadeaba Ramón mientras lo sacudía. Guillermo no se resistió, se dejó estrellar mansamente contra los mingitorios, los caños y las paredes.

–Nosotros somos amigos, vine a despedirlos –insistía con frases entrecortadas por los empujones, como si con este pretexto pudiera aplacar la furia del novio.

–No digas que no te avisé –repitió Ramón como excusándose. Y balanceó su cabeza, redonda y maciza como una antigua bala de cañón, la revoleó como una bola de demolición y, sin soltarlo de las solapas, le asestó un cabezazo sobre el puente de la nariz. Se oyó el crujido de los huesos y Guillermo supo que se la había roto–. Ahora no vas a poder salir del baño por un buen rato. Tomá, limpiate –agregó Ramón, le tiró un pañuelo y se fue.

Efectivamente, Guillermo se quedó en el baño del aeropuerto, con el pañuelo sobre la nariz y la camisa manchada de sangre. No la destapó por miedo a desmayarse. Supuso que le quedaría aplastada, blanda y torcida. Esa mañana, se operaron cambios definitivos en su vida: Ramón lo había convertido en boxeador. Guillermo estaba desconcertado, no podía creer que alguien fuera capaz de odiarlo tanto y de ensañarse con él hasta ese extremo. Este sentimiento de perplejidad le duraría varios años. Intentó consolarse, la nariz rota le daría un aspecto feroz, útil en el recinto de la Bolsa. Su tío decía que en el mundo de los negocios convenía parecer agresivo. El pañuelo rojo de sangre lo sacó de sus cavilaciones, decidió que lo conservaría junto con el que le había robado a Helenita. Ahora tendría dos pañuelos, por suerte el de Ramón no estaba perfumado, era un pañuelo blanco, vulgar.

Segunda parte

25

Durante los siguientes ocho años, Guillermo se preparó para conquistar a Helenita. Resolvió ignorar las amenazas de Ramón y el hecho de que Helenita se hubiera casado. Como estaba convencido de que su amada había elegido a Ramón por el dinero, Guillermo decidió convertirse en millonario. Tomó esta determinación a pesar de una involuntaria advertencia de su madre. Cuando se lamentaba de su propia desdicha sentimental, Celina solía comentar que de todo lo que le había sucedido con su esposo había sacado una única enseñanza: el dinero no hace florecer el amor. (Celina no intentaba prevenirlo, desconocía los móviles secretos de su hijo). Guillermo no le prestó la menor atención. Se consagró a la empresa de enriquecerse con la fe de los desesperados; la única estrategia que se le ocurría para postergar el "no" definitivo de Helenita. Guillermo no podía aceptar que, simplemente, Helenita no lo quería. Necesitaba aplazar la ejecución de esta sentencia todo lo posible, porque otra decisión dominaba su vida a los veintitrés años: había resuelto que si no lograba conquistar a Helenita se suicidaría.

Se recibió de economista con muy buenas calificaciones y de inmediato ingresó a la Bolsa de Comercio como mandatario de su tío Ezequiel, un agente establecido, poseedor de una acción del Mercado de Valores.

Hermano de la abuela materna de Guillermo, el tío Ezequiel rara vez visitaba a Celina y a sus hermanas, aunque eran las únicas integrantes de su familia que residían en Buenos Aires. Sus sobrinas lo recibían con una mueca fría y reprobatoria. Ezequiel se resignaba a aparecer sólo en Navidad e intentaba ablandarlas con costosos regalos, pero no conseguía disipar la desdeñosa censura que ejercían sus parientas. Según la historia familiar, luego de enviudar, Ezequiel se había desentendido de sus deberes como padre y se había dedicado a las mujeres con deplorable glotonería. Cuando los hijos llegaron a la adolescencia ya no pudo controlarlos. Con el consentimiento de su hermana –la abuela de Guillermo aún vivía–, Ezequiel los mandó a la estancia de la familia, en La Pampa: un sitio donde les resultaría complicado procurarse cocaína y participar de carreras de motos.

En sus conversaciones, las hermanas se referían al tío Ezequiel como "El viejo de la bolsa", "El viejo verde" o, sin rodeos, como "El viejo *merde*". Años más tarde, Guillermo se enteró de que sus tías y su madre estaban muy enojadas con los primos; decían que administraban la estancia de La Pampa de un modo tan incompetente que olía a desfalco. Los hijos de Ezequiel aducían que los impuestos provinciales se devoraban las exiguas ganancias. Pero, a pesar de las súplicas de sus primas, se negaban a disolver la sociedad familiar. Argumentaban que dividir las tierras reduciría la unidad de producción hasta volverla antieconómica. Celina estaba contenta con el empleo que Ezequiel le había ofrecido a su hijo, pero ante sus hermanas no quería que pareciera que había aceptado un soborno.

El trabajo de Guillermo consistía en atender los clientes que fastidiaban a su tío: los inversores chicos, excesivos en número e insignificantes en los montos que negociaban. La ignorancia acerca de la mecánica bursátil y la estrechez de sus reservas los tornaba desconfiados y vacilantes. Había que dedicarles más tiempo para tranquilizarlos que a los capitalistas poderosos. Guillermo percibía un porcentaje sobre las comisiones que estos clientes le dejaban a su tío. Desde el principio, el instinto o la buena suerte le concedieron varias jugadas afortunadas; estos aciertos aumentaron su apuro por conquistar a Helenita. Guillermo se decía que si solo se limitaba a anudar buenos negocios en nombre de un tercero, demoraría mucho en transformarse en millonario. Resolvió que, apenas pudiera, se arriesgaría con capital propio para comprar una acción del Mercado de Valores y poder operar por su cuenta como agente. Esta precipitación era contraria al estilo cauteloso del tío Ezequiel, pero Guillermo contaba con el apoyo incondicional de su madre. Celina suponía que su hijo estaba impaciente por restaurar la fortuna de la familia, remendar lo que el doctor Olmo había destruido.

26

Antes de abordar el vuelo, Helenita dedujo que algo violento había sucedido entre Guillermo y su marido. Los había visto meterse juntos en el baño de caballeros; un lugar provisto de artefactos empotrados, salientes y duros, muy apropiado para dirimir cuestiones privadas entre caballeros. En el avión, Helenita notó que un magullón rojo decoraba la frente de Ramón. Supuso que la señal no atestiguaba que su esposo hubiera adquirido la clarividencia del tercer ojo, más bien concordaba con la ferocidad del Cíclope o la marca de Caín. De repente, una imagen la llenó de excitación: los machos se peleaban por ella. Esta revelación infló su vanidad hasta ocupar todo el espacio de su pecho y dejarla sin aire. En medio de la noche, mientras volaban sobre el Atlántico hacia Miami, Helenita comenzó a sentirse caliente: ella también quería meterse en el baño con Ramón. Despertó a su esposo y le susurró la propuesta. Tuvo que vencer resistencias morales que juzgó de una insuperable estupidez ("¿Por qué los hombres serán tan aburridos?"). Por fin, le abrió la bragueta, se inclinó sobre él en la oscuridad y lo persuadió con un razonamiento más elocuente.

Consiguieron colarse juntos en el baño esquivando la vigilancia de las azafatas. Adentro Helenita se desanimó, la estrechez del cubículo ponía en peligro sus planes. Ramón se plantó frente al espejo y se dedicó a examinarse los dientes, estiraba los labios hasta el límite de su elasticidad en un remedo de la sonrisa demente del Guasón. Helenita le pidió a Ramón que la alzara y le enhorquetó la cintura con las piernas. Quedó a horcajadas contra el vientre peludo de su esposo, como si estuviera montada a caballo al revés. Ramón aceptó la posición con un resoplido de protesta, pero luego se fue entusiasmando; al rato no se podía discernir si jadeaba por la excitación o por el esfuerzo físico. Helenita subía y bajaba mecida en los membrudos brazos del hombre, en una situación de agitada ingravidez. A Ramón, sostener a su mujer en el aire le provocaba cierta extrañeza; pensó que una mosca que volara dentro de la nave se desplazaría junto con el aire del avión y amanecería a miles de kilómetros con solo aletear permaneciendo en el mismo sitio. Próxima al orgasmo, Helenita sintió que le faltaba el aire, con cada sacudida se sentía más mareada y nauseosa. Pensó que la atmósfera presurizada de la nave no contendría suficiente oxígeno. Quería salir del avión. Evitaba dirigir los ojos hacia el agujero del inodoro, como si por mirarlo se expusiera a la tentadora succión de un abismo; estaba sugestionada con la idea de que ese agujero desembocaba directamente en el cielo.

27

Ni bien regresó de su luna de miel, Helenita lo llamó para ver cómo le había quedado la cara. Una amiga le contó que había visto a Guillermo salir del baño en Ezeiza con un pañuelo ensangrentado sobre la nariz. La sorpresa de que su amada lo llamara le provocó palpitaciones y le secó la garganta hasta impedirle hablar. Guillermo no esperaba saber de ella tan pronto, mucho menos que Helenita tomara la iniciativa. Helenita propuso que se encontraran en un café en la esquina de Gaona y Nazca, una zona alejada del circuito que frecuentaban.

La llamada mantuvo a Guillermo radiante varios días y su exaltación no disminuyó al verla, aunque se dio cuenta de que Helenita lo había citado con maligna curiosidad, solo para examinar la marca de la humillación que Ramón le había infligido. Estar en ese café de barrio sentado frente a Helenita le parecía milagroso. Guillermo comprendió que con el casamiento la había dado por perdida, que se había aferrado al plan de convertirse en millonario porque no soportaba tanto sufrimiento. Sincerarse consigo mismo acerca de la inutilidad de sus propósitos lo angustió, de inmediato apartó la idea de su consciencia. Guillermo lograba hipnotizarse con sus fantasías de seducción con increíble facilidad. Podía conservar el deseo de conquistarla contra todas las evidencias y con poquísimos indicios a favor; como los beduinos, estaba acostumbrado a cruzar el desierto con el agua indispensable para no morir.

En ese primer encuentro hablaron más del pasado que del presente. Helenita no le contó nada de la luna de miel, ni de la convivencia con su esposo; ningún detalle que pudiera filtrarse de Guillermo a los amigos en común y que, por esta vía, alcanzara los oídos de Ramón. Guillermo sabía que la discreción no figuraba entre las virtudes de su amada; dedujo que Helenita le tenía miedo a su marido. Le costó admitirlo, prefería creer que Helenita no le tenía miedo a nadie. Descubrir debilidades en ella lo desorientaba. Guillermo idealizaba a las mujeres en general; le parecían seres sublimes, diosas que vivían entre los humanos por curiosidad o diversión. Las idealizaba de tal manera que le llamaba la atención que las mujeres fueran heterosexuales. Por supuesto, Helenita era la diosa suprema de este Olimpo privado.

Antes de la cita, luego de meditarlo bastante, Guillermo decidió que si Helenita le preguntaba qué le había pasado en la nariz, le contaría la verdad. Pero ella no se lo preguntó; habló con absoluta naturalidad, como si en la cara de Guillermo nada hubiera cambiado. Al cabo de un rato, Helenita dio por terminado el encuentro. Aunque a esa hora de la tarde Ramón estaría en la metalúrgica, Helenita no aceptó que Guillermo la acompañara a la casa. Le dio un ligero beso en la mejilla y se despidió con un neutro "Nos hablamos". Guillermo se quedó parado en la calle mirándola subir a su Peugeot nuevo, regalo de casamiento de la familia Izarreta a su flamante nuera. Guillermo recordó una frase de Helenita: "Muero por cualquier cosa con ruedas".

28

Guillermo se entrenó como un atleta en los bruscos cambios de velocidad de la Bolsa. Como las serpientes, que alternan entre la inmovilidad del acecho y la rapidez fulminante de la picadura, se habituó a deslizarse del frenesí de la Rueda a la amable parsimonia con que atendía a los clientes en la oficina. Descubrió que en los negocios se conducía con más soltura y eficiencia de lo que había previsto. Para mejorar su imagen Guillermo solo ansiaba parecer más adulto. Comprendía que los inversores no entregaban las grandes sumas que manejaba a su cara imberbe, sino a la solidez de su tío. Quién le confiaría su dinero a un muchacho que cuando se ponía un traje se sentía disfrazado; que, acostumbrado a andar en zapatillas, se encontraba visiblemente incómodo en sus crujientes e inflexibles zapatos de cuero.

Guillermo comenzó a imitar a los viejos de la Bolsa. Los estudió como un actor que compone un personaje. Aspiraba a disimular su juventud con una actitud de gran compostura, tan reposada que tendría que cuidarse de no pasar por lerdo o tonto. Algunos agentes se reunían a jugar al ajedrez en el suntuoso salón de la esquina de 25 de Mayo y Sarmiento. El gran hall había dejado de funcionar como recinto de operaciones cuando se inauguró la nueva sede en el edificio lindero. A Guillermo le fascinaba la majestuosidad del antiguo edificio de la Bolsa de Comercio, con sus pisos de mármol lechoso, las barandas de las escaleras enjoyadas de dorado y sus columnas color caramelo. La mayoría de los jugadores eran agentes retirados que no podían dejar de concurrir al sitio donde habían pasado buena parte de sus vidas. Observando su comportamiento, Guillermo aprendió a ser paciente y formal, se habituó a escuchar a los clientes sin interrumpirlos y a saludar a las mujeres estrechándoles la mano –y descubrió que muchas mujeres no sabían dar la mano.

En poco tiempo, limitarse a imitarlos le resultó insuficiente; no se conformaba con actuar, Guillermo quería envejecer de verdad, mostrar pruebas materiales de su madurez. Deseó con todas sus fuerzas que le salieran canas. Estaba dispuesto a cualquier sacrificio con tal de convertirse en millonario. (Sopesó la idea de engordar para añadir otro signo de envejecimiento a su imagen, pero la grasa estaba tan desprestigiada que temió perder más de lo que ganaría). Se ilusionaba con que comenzaran a nacerle canas en las patillas, como Tony Curtis cuando interpretó al mago Houdini. Su madre había visto la película en su remota adolescencia y se había enamorado del galán. Aparte de que le ayudarían a componer una imagen adulta, Guillermo creía que las canas le quedarían bien, le aportarían un aire elegante y distinguido. Incluso fantaseó con teñírselas, pero supuso que el producto no existiría en el mercado –a nadie se le ocurriría comprar una tintura para encanecer–. Además pensó que, aunque hallara la tintura, no le convenía encanecer de repente, sus colegas podían interpretarlo como un signo de desequilibrio mental, como si la tensión de la rueda de negocios le hubiera quemado el pelo. Celina le dijo que no recordaba a ningún pariente que hubiera encanecido prematuramente. Pero cuando al año de proponérselo –y aunque, según su madre, no figuraba dentro de lo escrito en sus genes–, Guillermo disfrutaba de una cabellera incipientemente canosa. Celina evocó a un nebuloso tío abuelo de la familia paterna que había experimentado el mismo trastorno que ahora ponía tan contento a su hijo, a pesar de que un amigo, con quien Guillermo hacía mucho tiempo que no se encontraba, le dijo muy impresionado que le daba lástima ver cómo había envejecido de golpe. En el camino a convertirse en millonario, a poco de entrar en el mundo del trabajo, la primera metamorfosis de Guillermo fue transformarse en joven geronte: canas seniles y sexualidad adolescente (masturbación y prostitutas, en ese orden).

El ardid de la madurez era solo una parte de su estrategia de seducción. Guillermo estaba convencido de que para operar con dinero ajeno debía demostrar que sabía hacer rendir el propio. El catálogo incluía poseer un auto importado –en lo posible alemán: un BMW o un Mercedes Benz–; un departamento en Palermo Chico o una casa en un barrio privado en Zona Norte o en un *country* –donde invitar a comer asados y a jugar al tenis y al golf–; hablar con naturalidad de viajes a destinos exóticos y cambiar de traje cuando se le antojara. Tuvo que postergar el grueso de la lista de bienes para el futuro, justamente, para cuando fuera millonario. Guillermo resolvió que, por el momento, seguiría viviendo con su madre en la impresentable casa de la calle Montevideo y que no se mostraría en público con el Mercedes Pagoda del doctor Olmo –con el chasis vencido y la chapa oxidada–. Únicamente pudo ocuparse de los trajes.

Guillermo le encargó a un sastre el arreglo de varios trajes de su padre. El doctor Olmo había gozado de un magnífico vestuario y desaprobaba categóricamente la ropa de confección. Se jactaba de que siempre había logrado eludir el fastidio de saldar la cuenta de los sastres. Lo comentaba con un tono de engañosa modestia, como si no pagarle al sastre fuera una tradición muy fácil de seguir, tanto que Guillermo se ilusionó con que podría reeditar los éxitos de su padre. Pero, si bien ser un hombre con una causa disolvía algunos de sus reparos morales, no lo dotaba de la astucia del doctor Olmo para la estafa. Guillermo debió resignarse a que el sastre le cobrara en doce cuotas con tarjeta de crédito y, a pesar de que se trataba de meros arreglos, contrajo una deuda con la tarjeta de la cual apenas alcanzaba a cubrir el pago mínimo. Todos los meses, cuando recibía el resumen de cuenta, sentía la mordedura de los intereses. Pero el interés más gravoso por usar los trajes del doctor Olmo debía pagárselo a su madre. Si cualquier ocasión –los cumpleaños, Navidad, el aniversario de casados– era propicia para que Celina declarase con solemnidad: "papá ya no está con nosotros", y pasara sin transición a conmemorarla con un abrazo. Ahora, cada mañana, cuando Guillermo intentaba ir a la oficina, su madre lo arrinconaba y no lo dejaba marcharse sin antes darle un abrazo de aquellos que se sabía cuándo empezaban pero no cuándo terminaban. "Así, de traje, estás idéntico a tu padre", le decía Celina con los ojos húmedos de emoción. A veces Guillermo se animaba a esbozar tímidas protestas: que le arrugaba el saco, que llegaba tarde a una reunión; pero el desconsuelo que le provocaba a su madre, lo hacía arrepentirse de su atrevimiento de inmediato. Al soltarlo, Celina exhalaba un profundo suspiro de alivio; se sentía desahogada de su carga de congoja, como después de haber llorado. Para esquivar los abrazos matinales, por primera vez en la vida, Guillermo comenzó a mentirle a su madre. Con la complicidad de su tío Ezequiel, inventó desayunos de trabajo. Salía de su casa antes de las siete de la mañana, cuando su madre aún dormía. Se habituó al placer de tomar un café con medialunas, mientras leía el diario, en un bar en Corrientes y Reconquista.

29

Aburrido de observar a los viejos jugar al ajedrez en el hall de la Bolsa, parado con las manos en los bolsillos, Guillermo decidió aprender el juego. Solían ocupar una única mesa que se perdía, solitaria como una isla, en la inmensidad del antiguo recinto. La atracción del ajedrez fue uno de los motivos para sentarse con ellos; el otro, que le desagradaba que sus colegas pudieran considerarlo un aprendiz que contemplaba a sus maestros de pie, con respetuosa devoción. Guillermo encaró el estudio del ajedrez con mucha seriedad –exhibir inteligencia era esencial para el crecimiento de su imagen–, tanto que en menos de un año les ganaba a casi todos, siempre que se tratara de encuentros pactados a pocos minutos. Cuando jugaban partidas cortas los viejos no hablaban, el apuro los obligaba a concentrarse; solo se oía el ruido de la perilla del reloj bajada con un golpe de las flacas y secas palmas de las manos.

Guillermo no aprendió ajedrez con profesor ni con libros sino por internet. Se conectaba todas las noches y alternaba las consultas nocturnas a las Bolsas de Tokio y Singapur –que funcionaban en el horario inverso– con partidas del Chess Club. Saltaba de una pantalla a otra. Se aficionó a jugar muy rápido, partidas a tres o cinco minutos. En esos primeros años, Guillermo regresaba a su casa desolado, sin ninguna recompensa después de haberse esforzado tanto, consciente de que aún le faltaba un largo camino hasta ser rico y conquistar a Helenita. Con los nervios demasiado alterados como para dormir, se quedaba frente a la computadora hasta la madrugada. Podía interpretar las series de números de los monitores de las Bolsas del Lejano Oriente de un golpe de vista. Siempre había tenido afición por los números: un refugio claro, seguro, predecible.

Guillermo estaba tan habituado a las partidas breves por internet –el *mouse* es más veloz que la mano para mover las fichas y apagar el reloj– que, para disciplinar su impaciencia, se hizo socio del Argentino y empezó a jugar partidas de torneo de dos horas. El esfuerzo más grande de esos años era ocultar la ansiedad. El tiempo goteaba con una lentitud torturante. Odiaba desconectarse. Cuando, con los últimos restos de sensatez, Guillermo se convencía a sí mismo de ir a la cama, tenía que llevarse la *notebook* consigo; muchas mañanas amanecía sentado con la computadora encendida sobre los muslos.

No siempre Guillermo festejaba la llegada de nuevas canas; en ocasiones valoraba el envejecimiento prematuro como una misteriosa victoria, en otras lo inundaba la tristeza. Se preguntaba qué estaba haciendo con su vida. Antes, el dinero no le importaba demasiado, Helenita lo había trastornado, había despertado el demonio codicioso que latía en su interior. Cuando pensaba en esta transformación, le complacía compararse con una ostra y a Helenita con el grano de arena que lo forzaba a fabricar una perla. Segregaría pegajosas lágrimas para protegerse de la irritación que le provocaban las aristas puntiagudas de ese cuerpo extraño. Sería una perla negra, una perla amasada en la amargura de la espera. Con su paciente labor lograría cubrir a Helenita de lágrimas de nácar, la rodearía de baba solidificada, sería suya para siempre. Contaba con una disculpa legítima: como las ostras, Guillermo no podía expulsar el grano de arena que lo lastimaba.

Un sueño se le repetía con mucha frecuencia: masticaba diamantes que le partían las muelas. Llorando de dolor, conseguía quebrar uno; del diamante roto, como de un caramelo relleno, manaba jugo de diamante helado, un líquido que le escarchaba la lengua. También lo perseguía otro sueño emparentado con el anterior: vivía en una ciudad muy fría, de temperaturas polares, estaba en la calle chupando el poste metálico de un semáforo, de repente, la lengua se le quedaba pegada al poste; por más que tironeaba hasta casi arrancarla de la boca, no lograba despegarla. Se despertaba sobresaltado cuando veía por el rabillo del ojo que un policía se acercaba a liberarlo con una enorme pava de agua hirviendo.

Guillermo pensaba que si cualquier vida humana está regida por el azar, en la suya, atada a los vaivenes de la Bolsa y luego –si todo marchaba como esperaba– a los caprichos de su amada, el azar detentaba un poder absoluto. El éxito de su plan era tan incierto que, antes que millonario, Guillermo se convirtió en supersticioso. Se enredaba en vaticinios absurdos, con una lógica diseñada para calmar sus temores; por ejemplo, interpretaba el encanecimiento como un milagro, un anuncio divino que auguraba que el resto de su sueño también se cumpliría, que Helenita estaba destinada a ser su mujer. En cambio, si bien ganar muchísimo dinero era una condición que él mismo se había propuesto, a la vez, lo afligía como un signo de mal agüero, por aquella creencia que nivela los dones de la felicidad mediante el descarte de uno de ellos: "Buena suerte en el juego, mala suerte en el amor". Si triunfaba en el juego (y qué otra cosa era la Bolsa sino un garito respetable), fracasaría en el amor.

Absorbido por sus supersticiones, Guillermo adoptó la costumbre de ir los sábados a la Costanera a esperar el amanecer. Mezcla de nostalgia y de religión privada, lo guiaba el propósito de ver el Rayo verde. Renunciar a la cama a la madrugada no le costaba ningún esfuerzo; los viernes, el insomnio acumulado de la semana le dejaba los ojos escocidos de tensión, sabía que no lograría dormir. Se persuadía con la excusa de que el Rayo verde lo ayudaría a tomar alguna decisión importante –ya que los viernes a la noche no contaba con los vaticinios de la Bolsa de Tokio porque no operaba, su oráculo sería el verdadero sol naciente–. Si bien lo consultaba por cuestiones de negocios, estos negocios obraban al servicio del amor. Guillermo le preguntaba por alguna operación pendiente: ¿comprar o vender? (El Rayo verde no consideraba matices, solo emitía respuestas binarias). Nunca estuvo seguro de haberlo visto. A veces creía divisar un destello verde en el espectro del sol pero, consciente de lo indestructible de su fe, temía haberlo alucinado. Luego solía encaminarse desde la Costanera a un café que quedaba en la esquina de la casa de Helenita, donde desayunaba y permanecía al acecho hasta que su amada salía del edificio. Los sábados Helenita jugaba al tenis. Solo después de verificar que no estaba embarazada, Guillermo podía irse a dormir. En los primeros años como mandatario de la Bolsa, solía dormir casi todo el fin de semana.

En algunas oportunidades Helenita pasó muy cerca de donde Guillermo estaba sentado y no lo saludó. A medida que su amada se aproximaba, Guillermo comenzaba a transpirar, intentaba ocultar la cara entre las manos, pero temía que ya fuera tarde, que Helenita lo hubiese descubierto desde lejos y le preguntara enojada qué hacía en el café de la esquina de su casa, por qué la espiaba. Helenita nunca dio señales de haberlo reconocido. Luego del susto Guillermo se deprimía: él vivía para ella y ella ni siquiera registraba su existencia.

30

Guillermo conservó los vínculos de la época de la facultad para que le informaran sobre su amada. En la mayoría de las charlas no averiguaba nada nuevo, pero precisamente eso lo tranquilizaba. Guillermo lamentaba que los rumores no transmitieran la vida cotidiana de Helenita; ninguna de las amigas le contaba cómo andaba con Ramón, ni sus planes de viajar o tener hijos.

En esos años Guillermo y Helenita no dejaron de verse. Se encontraban en un café cada cinco o seis meses. Helenita solía llegar entre media hora y cuarenta y cinco minutos tarde, pero a ella todo se le perdonaba; su amada lo trataba como si solo fueran amigos. Afligido, Guillermo intentaba seducirla por medios indirectos. Buscando señales de aprobación, pormenorizaba con gran despliegue sus progresos económicos; Helenita captaba el desasosiego de su pretendiente y sonreía. "Sos una buena amiga para tomar el té", se burlaba. Casi no hablaban de temas personales, intercambiaban datos y chismes, nada que los comprometiera; paralizado por la timidez, Guillermo era cómplice de esta omisión. Aunque en una oportunidad Helenita lo consultó acerca del proyecto de poner una *boutique* para vender las mallas que fabricaba su padre, el trabajo no figuraba en el catálogo de sus actividades. Asistía a clases de jardinería, de *bridge*, de control mental y de tenis. Un *personal trainer* la acompañaba a un gimnasio tres veces por semana –no del todo en broma, Helenita cerró el puño y exhibió ante Guillermo las marcadas líneas de sus bíceps–. Helenita hablaba con tanta admiración de sus profesores varones que Guillermo a duras penas lograba disimular los celos. De pronto recordó que en la adolescencia él había sido su profesor de matemáticas; se preguntó si alguna vez ella habría hablado de él con ese tono de admiración. "¿Por qué no soy su amante?", se reprochaba disgustado consigo mismo.

Guillermo debió esperar varios años hasta que Helenita pronunció algo parecido a una confesión íntima: su amada declaró que le encantaba tener dinero para ser dueña de todo su tiempo. Necesitaba muchas horas para cuidar su cara y su cuerpo. Precisaba tiempo para prolongar su juventud. Guillermo recapitulaba mentalmente estas charlas palabra por palabra, como si las hubiese grabado; siempre se preguntaba porqué Helenita aceptaba verlo. Se dio cuenta de que Helenita no sabía qué hacer con el tiempo libre. Llegó a la conclusión de que su amada se aburría tanto que podía darse el lujo de perder el tiempo con él.

Mientras estaba con Helenita, Guillermo se repetía: "es adorable, es adorable", pero salía de estos encuentros frustrado e impotente. Las ideas de suicidio recrudecían a medida que perdía las esperanzas de conquistarla. Entre sueños se enojaba con su amada, se decía que Helenita no conocía la piedad hacia los que se enamoraban de ella: los trataba como enemigos que la querían poseer. Ciertas noches Guillermo se llenaba de rencor, odiar a Helenita le causaba asombro. Deseaba herirla –una sensación que en ocasiones también experimentaba hacia su madre–, tenía ganas de reventarla con palabras, de decirle verdades que la destruyeran.

31

Sin abandonar del todo el recurso del Rayo verde, Guillermo añadió a su sistema de creencias la Vara rabdomante: un hallazgo más dúctil y manuable. Ya no debía esperar una cita al amanecer sobre un horizonte plano y despejado, llevaba la vara consigo en todo momento. No tenía otra alternativa: la materialidad visible de la Vara rabdomante colgaba de su pubis y era su propio pene.

Como muchos avances científicos de la humanidad, el descubrimiento del efecto rabdomante aplicado a los negocios fue obra de la casualidad. Sentado frente a la pantalla, conectado durante horas al SINAC (Sistema Integrado de Negociación Asistida por Computador), acosado por dudas insolubles, cuando desahuciado solo le quedaba decidir a cara o ceca, Guillermo notó que, ante ciertas opciones de inversión, su pene se inquietaba levemente –como el nervioso estremecimiento de una Vara rabdomante cuando detecta un yacimiento de agua o de minerales–, en tanto, ante otras permanecía por completo indiferente –o francamente cabizbajo–. Guillermo resolvió obedecer estos pálpitos y fue premiado con una seguidilla de inesperados éxitos.

En ocasiones temía confundirse: las señales del pene eran tan sutiles –vagas comezones, ligeros aumentos de tensión–, que parecían no pertenecer a un orden corporal; pero aún más le preocupaba que fueran provocadas por el tedio, la necesidad de orinar o la autosugestión. Por supuesto, cuando Guillermo empleaba su pene en modo rabdomante no se tocaba, quería descartar toda excitación proveniente de fuentes ajenas a la actividad bursátil; asegurarse de que se hallaba frente a un enigmático poder de su mente que se valía de su miembro viril para enviarle mensajes.

A pesar de que el método lo avergonzaba y no mostraba ninguna relación coherente con el mundo del dinero, esforzándose un poco, Guillermo logró atribuirle una explicación lógica: sonaba plausible que ante una buena operación su pene reaccionara con alegría, al fin y al cabo, quería convertirse en millonario por amor. Tampoco remataba estas erecciones laborales masturbándose; aprovecharlas con fines extraprofesionales le parecía una trasgresión que podría arruinar su buena suerte. Un dios secreto le había hecho un regalo que le facilitaría el acceso a Helenita, no quería perderlo ensuciándolo con goces impuros. Guillermo continuó acertando vaticinios hasta persuadirse de que su pene poseía un lucrativo saber acerca de los negocios. "Dos cabezas piensan mejor que una", concluyó antes de darle la aprobación definitiva a su sistema y empezar a apostar su propio patrimonio en la Bolsa.

A los tres años de desempeñarse como mandatario de su tío Ezequiel, Guillermo convenció a su madre de que vendiera la casa de la calle Montevideo e invirtiera todo el dinero de la venta en acciones. También la convenció de que no le contara nada al tío Ezequiel, Guillermo le anticipó que si lo consultaba, el tío se opondría. (Ezequiel decía que los buenos agentes de Bolsa jamás operan con su propio capital, en su opinión no había nada más estúpido). Guillermo le suplicó que no le dijera nada, y su madre, que confiaba ciegamente en él –y conservaba la secreta esperanza de que su hijo recuperara la riqueza de la familia–, le hizo caso.

La rabdomancia no era un sistema para publicitar, menos que menos ante su tío. Guillermo sabía cómo lo trataría Ezequiel si le hablaba de sus pálpitos. "Esto es un trabajo de años, no se basa en pálpitos ni en un par de buenas jugadas", lo censuraría. En caso de que su tío le preguntara cómo se le revelaban sus pronósticos, la explicación resultaría bochornosa. Guillermo invirtió el dinero que les pagaron por la casa y una importante suma de sus clientes, en dos papeles en el mercado de opciones a futuro. Se sentía tan seguro que arriesgó dinero ajeno sin consultar a los interesados.

Las acciones que Guillermo supuso que bajarían, subieron y las que debían subir, bajaron; fue entonces cuando comprendió el significado cabal de la palabra "revés". Más tarde, Guillermo reflexionaría acerca de su desastre económico y concluiría que se había engañado a sí mismo con la patraña de la Vara rabdomante por un solo motivo: el pánico de perder a Helenita, no por la temida llegada de un hijo, sino por simple indiferencia: Helenita había comenzado a negarse a atenderlo por teléfono.

A consecuencia del quebranto económico, Guillermo y su madre perdieron la casa de la calle Montevideo, decrépita pero propia, y tuvieron que mudarse a un departamento alquilado, de dos ambientes, en San Telmo. Ezequiel cubrió la deuda de su empleado con los inversores y, llamativamente, no hizo el escándalo que Guillermo había temido. Ocurre que, de un modo indirecto, el tío Ezequiel se benefició con el infortunio de su pariente; ahora poseía un arma para presionar a sus sobrinas. La madre de Guillermo y sus hermanas habían iniciado acciones legales contra los hijos de Ezequiel, tendientes a lograr la división compulsiva de la estancia de La Pampa. Pero luego de una charla con Ezequiel, Celina se negó a firmar los escritos y trabó la demanda. Las hermanas dejaron de hablarle a Celina por un tiempo que, por desgracia para ellas, fue breve: Concepción, la hermana menor, enfermó de cáncer y Celina volvió a visitarlas.

Guillermo dirigió todo su odio contra su pene. Estaba convencido de que su pene lo odiaba a él y que siempre cometería pecado de soberbia y lo arrastraría a la ruina. Sometió a su enemigo a cruentos castigos. Se fabricó un cilicio casero como el que usaba un primo lejano, seminarista en Córdoba, de quien le hablaban en la infancia sus devotas tías. Empleó un ancho cinturón de cuero que se introducía debajo de los calzoncillos. Cubrió el artefacto con arpillera y espinosas ramas de rosal y lo revistió de tachas de latón con los pinchos abiertos, apoyados directamente sobre la piel. Se mortificó de este modo durante una semana. No lo detuvieron ni el dolor que le retorcía el rostro y lo hacía transpirar en pleno invierno, ni las llagas en su carne lacerada, ni el hedor que despedía la infección. Renunció a la penitencia cuando la sangre de sus heridas atravesó los calzoncillos y la pretina de los pantalones y empezó a mancharle los trajes. Ahora eran pobres, tenía que cuidar sus trajes.

32

Luego de la quiebra, Guillermo le propuso a su madre que comercializara las rosas negras, que las fabricara en gran escala y las vendiera a casas de regalos. Celina rehusó ofendida, protestó por el supuesto sacrilegio contra la memoria del doctor Olmo y por fin, como siempre, se dejó convencer por su hijo –que ya había logrado disolver el enojo de su madre por la desgracia económica a la que los había arrojado–. Las bautizaron "Rosas cristal", porque al barnizarlas con laca las flores adquirían un aspecto vítreo. El negocio nunca funcionó: las casas de regalos las aceptaban únicamente en consignación, Celina tardaba mucho en procesarlas y los comerciantes tardaban mucho más en pagárselas.

La madre tuvo que buscar empleo. Consiguió que la contrataran en una inmobiliaria; al principio, para hacer guardias los fines de semana. Como era nueva, la mandaban a departamentos baratos, de los que solo podría sacar una comisión escasa. Algunos estaban vacíos. En ellos, Celina solía instalarse en el baño, hacía palabras cruzadas sentada en el inodoro, fumaba y tiraba las cenizas en el lavatorio. Alejaba la revista de los ojos todo lo que le permitía el largo de sus brazos, ya no quería usar los lentes para la presbicia. Desde que su hermana Concepción había enfermado de cáncer Celina había adelgazado, como si fuera un modo de solidarizarse con ella. Estaba muy flaca; cuando se sentaba sobre la tapa del inodoro, sentía que los huesos le pinchaban la carne desde adentro. Ahora las arrugas se le notaban más, por eso había dejado de usar los lentes; no quería verse la cara en el espejo y, menos aún, los propios ojos, envejecidos y con un halo amarillento que apagaba el color del iris. Celina se consolaba pensando que la naturaleza era muy sabia: cuando ya no soportaba contemplar su decadencia, la debilidad de la vista le evitaba el sufrimiento.

A veces Guillermo la visitaba durante la guardia, pero ver a su madre encerrada trabajando el fin de semana lo entristecía tanto que se despedía de ella de inmediato. Tampoco soportaba permanecer en su casa, la angustia escolar de los domingos a la tarde lo empujaba a la calle. Guillermo bajaba y se encontraba con el portero del edificio sentado en su auto –un Ford Falcon prehistórico–, con la puerta abierta y los pies sobre la vereda. El hombre no le daba mucha conversación, escuchaba los partidos de fútbol con la radio portátil pegada a la oreja.

Los primeros meses después de la bancarrota, Guillermo se dormía sobre un costado y, con la mano cruzada sobre el pecho, se palmeaba el hombro a sí mismo, como se hace con los niños para tranquilizarlos; se imaginaba que Helenita venía a acariciarlo, se palmeaba hasta quedarse dormido. Aunque la daba por perdida, Guillermo no se suicidaba, esto lo hacía sentir aún más miserable; a sus múltiples reproches agregaba el de la cobardía.

33

Las hermanas de Celina nunca habían ido al ginecólogo; la menor enfermó de cáncer de cuello de útero, una enfermedad que podría haberse curado si hubiese permitido que se la diagnosticaran a tiempo. Concepción era una puritana ferviente, se ofendía si no la llamaban señorita. "Nunca me dejé tocar por un hombre –que quizá hubiera sido divertido– y ahora quieren que me haga manosear por un médico. ¡Ni loca!", decía antes de enfermarse.

La madre de Guillermo visitaba a sus hermanas con frecuencia. Le contó a Guillermo que un domingo que no tenía guardia de la inmobiliaria se había bajado del colectivo en los bosques de Palermo –sus hermanas vivían en Núñez, cerca de la cancha de Ríver– y le había extrañado ver hombres que lloraban y se llevaban el pañuelo a los ojos. "Iba tan distraída que, como una boba, pensé que lloraban por la tía Concepción; no me di cuenta de que el viento arrastraba gas lacrimógeno. Jamás me pasó algo así", le decía a Guillermo. "Los muchachos lloraban sentados en el cordón de la vereda. Pensé: si me siento en la vereda, después me tienen que lavar con lavandina. Me acerqué a un policía, que también lloraba, y le dije: ¿Y ahora qué hago? 'No se toque los ojos hasta que se le pase el ardor. Tome leche'. ¿Te das cuenta? Un día que se me ocurre salir y me tiran gas lacrimógeno".

Celina nunca le confesó a su hijo que alucinaba la presencia de su marido desde el día en que lo había enterrado. Todas las mañanas, luego de que Guillermo se hubiese ido, la despertaba el susurro de las sábanas, los rumores de su esposo al salir de la cama. En duermevela, Celina oía al doctor Olmo cepillarse los dientes en el baño. Ni bien se levantaba, Celina se preparaba el té –le gustaba en hebras, no en saquito–, se quedaba sentada en la mesa de la cocina bebiéndolo de a sorbos y observando cómo las hojas de té, hinchadas como algas marrones, se mecían en el fondo de la taza. Luego lavaba la taza, el plato, la cucharita, el colador y la tetera; secaba y guardaba todo. En esa época no trabajaba. A media mañana solía darse un baño de inmersión con espuma. A veces se adormecía hasta que el agua se enfriaba y desaparecía la última burbuja, mientras escuchaba aterida el rasguido de la hoja de afeitar sobre la dura barba del doctor Olmo. Su hermana decía que estaba loca, porque después de desayunar y bañarse se acostaba de nuevo. "¡Si no tengo nada que hacer!", se defendía Celina.

Cuando se mudaron al departamento de San Telmo, Celina les dejó el ombú bonsái a sus hermanas. Se lo había comprado de regalo al doctor Olmo pero a él nunca le había interesado. Celina siempre repetía el mismo chiste: lo ponemos arriba de la mesa y nos sentamos en el suelo a tomar mate a la sombra del ombú. El doctor Olmo no se reía ni por compromiso. Después de la muerte de su marido el árbol empezó a secarse. Celina lo llevó a un experto en bonsáis; trasladarlo le costó un gran esfuerzo, la miniatura pesaba mucho –al fin y al cabo era un árbol–. Que se hubiera enfermado luego de la muerte del dueño, como un perro aquejado de tristeza, era el tipo de conclusiones que satisfacía a la madre de Guillermo.

Aunque no le habían dicho qué enfermedad tenía, la tía Concepción lo sospecharía. Además de los malestares, el adelgazamiento extremo y las repentinas fracturas, una mueca sardónica se le había pegado al rostro. A Guillermo le impresionó verla con peluca. Concepción estaba demasiado débil para ocuparse de las tareas domésticas; como se aburría, se dedicaba a reproducir las manualidades de una revista infantil. Le regaló a Guillermo una rosa amasada con miga de pan, había pintado los pétalos con esmalte para uñas y el tallo y la tierra con témpera verde y marrón. En el colectivo de vuelta a su casa, con la humedad de la piel, la témpera le manchó los dedos.

34

Cuando murió la tía Concepción, la madre de Guillermo se llevó la silla de ruedas al departamento de San Telmo. La hermana sobreviviente no quería conservar ningún objeto que le recordara el sufrimiento de la menor. Habían decidido comprar la silla porque a Celina y a su hermana sana les pareció que alquilarla delataría sus bajas esperanzas de que Concepción sobreviviera. Celina guardaba la silla de ruedas plegada en un rincón del dormitorio, a veces se sentaba en ella y jugaba al solitario sobre la colcha de la cama. Cierta noche, le pidió a Guillermo que la condujera hasta la cocina, decía que le dolían los pies de tanto caminar por su trabajo en la inmobiliaria. Cuando su hijo la paseaba por el estrecho espacio del departamento de dos ambientes se sentía como una reina. Celina era una gran fumadora; empujando la silla, Guillermo obtenía una perspectiva inmejorable del olor a humo que impregnaba el cabello y la ropa de su madre. Aunque el olor le repugnaba no podía dejar de complacerla. Celina adoptó la costumbre de sentarse a la mesa a comer en la silla de ruedas.

El problema de los abrazos interminables se agudizó a raíz del fallecimiento de la tía Concepción. Como antes, en la época en que había muerto el doctor Olmo, Celina había hallado la causa justa para satisfacer su insaciable deseo de ser abrazada por su hijo. La desdicha de Guillermo empezaba después de la cena, cuando debía llevarla a acostar. En el borde de la cama, Celina le rodeaba el cuello con los brazos para que la levantara de la silla de ruedas y, sosteniéndola aupada como una criatura, se sentara apoyado contra el espaldar de la cama, con su madre sobre los muslos. Celina se acurrucaba contra el pecho de Guillermo como una nena en brazos de su papá. Apenas notaba que iba quedándose dormida, Guillermo comenzaba a moverse para sacársela de encima; entonces Celina se sobresaltaba y se aferraba espantada al cuello de su hijo como si fuera a caer desde gran altura. Para depositarla entre las sábanas Guillermo debía esperar que se durmiera profundamente. Aunque se lo hubiese propuesto, no le habrían alcanzado las fuerzas para desprenderse de la tenaza de los brazos de su madre entrelazados en torno a su nuca.

Celina acomodaba sus flacas nalgas sobre el regazo de Guillermo, moviéndose hacia los costados con la actitud de una gallina que se sienta a empollar. La sedosa piel aceitunada de Celina, herencia de sus abuelas españolas, se deslizaba bajo las manos de Guillermo con la fluidez de un líquido. Esta suavidad se repetía en el satén del salto de cama. Guillermo sentía que los huesos de Celina eran tiernos y flexibles como los de una niña. Amodorrado en el calor de la cama, una pesadilla horrorizaba a Guillermo y le impedía abandonarse al sueño: tener una erección con el cuerpo de su madre sobre los muslos.

35

El dinero que Celina heredó de su hermana fue a parar íntegro a la Bolsa; quedó depositado en el fondo de inversiones que controlaba el tío Ezequiel. Aunque la lentitud del método lo exasperaba, Guillermo se resignó a la prudencia. En sus sueños Helenita se alejaba irremediablemente, pero se había jurado que tendría paciencia: no soportaba la idea de perder todo de nuevo.

Para Guillermo, esta época de su vida no valía nada, era solo una transición hacia la etapa anhelada. Al contrario de los enfermos postrados, los depresivos y los presos, que ansían que llegue la noche para refugiarse en el sueño, a Guillermo la noche se le hacía eterna; en lugar de dormir, se hundía en un río lerdo y gelatinoso. En esas horas de insomnio se aburría hasta el extremo de quedarse concentrado mirando la aguja larga de su reloj de pulsera –un viejo Rolex con cronómetro que su padre usaba para tomar los tiempos de los autos y de los caballos–; estaba convencido de que percibía el movimiento de la aguja a simple vista.

Durante varios años no salió de vacaciones, y no solo por falta de dinero y para quedarse trabajando en su apuro por recuperar el terreno perdido; en realidad, disfrutaba poco de las vacaciones –y esta incapacidad no se la debía a su amada–. Le había sucedido siempre: comenzaba a mortificarse por el final de las vacaciones desde antes de partir. Como a todo el mundo, pero acaso en mayor grado, el tiempo se le estiraba cuando se aburría y se le colapsaba cuando estaba entretenido. Las alegrías se le escabullían, efímeras como orgasmos. Guillermo fue inclinándose hacia el placer de cumplir metas: lo sentía más perdurable. Solía hacer balances al fin del día, de la semana, del mes y grandes balances en sus cumpleaños. Más allá de que las disfrutara o no, le encantaba terminar todo tipo de cosas: libros, películas, reuniones de trabajo, partidas de ajedrez. Tildar listas de tareas cumplidas, tirar a la basura botellas y envases vacíos. En la época en que iba al colegio, al finalizar las clases Guillermo quemaba los apuntes de todas las materias. Medía el tiempo por los vencimientos de cuotas e impuestos, por el paso de las hojas de la agenda, por la acumulación de agendas de años anteriores. La rutina de esos días le resultaba tan poco memorable como esos datos de uso cotidiano, que en algún momento son cruciales y luego se olvidan sin pena: números de teléfono o de cuentas bancarias, domicilios, patentes de auto.

Prisionero de su lógica personal, Guillermo tuvo que aprender boxeo, como si Ramón, al romperle la nariz, le hubiese asignado un destino. Pero se decía que, más que la fantasía de venganza, lo movía el deseo de parecer un duro hombre de negocios. Después de la quiebra, Guillermo se sentía inseguro; su aspecto no le gustaba, con sus miembros largos y flacos se veía a sí mismo como una especie de saltamontes gigantesco. Había contraído un hábito raro: soplarse y restregarse las manos enérgicamente aunque no hiciera frío; más que la pantomima de quien se deleita ante alguna ganancia o goce, se asemejaba a una mosca afilándose las patas. Se frotaba las manos a tal velocidad que parecía que le saltarían chispas de la piel. En público, esta especie de tic masturbatorio le daba vergüenza, pero no podía dominarlo. La nariz achatada pronunciaba la separación entre los ojos y acentuaba el efecto de cabeza de insecto. Guillermo llamaba a su nariz "La goma", como si fuese una amenazante cachiporra de policía; aunque en verdad sentía que su nariz y su corazón rotos eran las partes más blandas de su cuerpo.

El boxeo no resultó el mejor camino para adquirir una imagen agresiva. "Ramón me desfiguró", se decía Guillermo con dramatismo, "¿qué más puede pasarme?". Le pasaba que lo molían a golpes. Para sus compañeros de gimnasio, que provenían de hogares donde el padre llegaba a la casa borracho y les enseñaba a pelear gratis, el boxeo no era un deporte sino un medio de vida. Guillermo lo reemplazó por el karate, con la esperanza de rodearse de gente más sofisticada. Por fin, desistió. A pesar de que se había prometido que nadie le pegaría de nuevo sin afrontar graves consecuencias, tuvo que admitir que carecía de coraje físico. Mirando un *match* de box por televisión, mientras comía una hamburguesa en el bar de una estación de tren, sintió que pelear sin odio era una situación absurda, como una película sin argumento. Fue el pretexto que precisaba para abandonar las técnicas de defensa personal. Se consoló con la idea de que cuando lo necesitara contrataría matones, verdaderos profesionales, para que ejecutaran el trabajo por él.

Guillermo continuó dedicándose a los pequeños inversores, pero en gran escala. Operaba con amigos, familiares y conocidos; si conseguía que se posicionaran en acciones, les proponía que además se transformaran en sus representantes. La comisión de estos "subagentes" aumentaba en forma proporcional a la cantidad de clientes que reclutaban. Guillermo los llamaba vendedores-limón, porque los exprimía hasta agotarles toda la red de relaciones. El método no era nuevo, pero se lo consideraba poco respetable; más apropiado para vender baterías de cocina o productos de belleza que acciones de la Bolsa de Valores. Su búsqueda de clientes era incesante, Guillermo trabajaba catorce horas por día y no solo se encargaba de cadenas de inversores chicos; había accedido a camaradas de la promoción de su padre del Colegio Militar, indecisos entre especular en el mercado inmobiliario o en el de valores. Más tarde, trascendió este nivel y consiguió convertirse en asesor de empresarios que habían vendido sus compañías a grupos financieros internacionales y se hallaban en posesión de importantes sumas de dinero. Estos triunfos lo envalentonaron. A pesar de que Guillermo se había jurado ser cauteloso, ni bien reunió un pequeño capital lo apostó en papeles de riesgo; por supuesto, sin que se enterara su tío Ezequiel. La voracidad de Guillermo era tal, que cuando en su casa se acababa el dinero que habían reservado para el sustento diario, prefería entrar en el circuito de los intereses de los usureros, antes que desprenderse de acciones si juzgaba que el momento no era el más propicio.

Al año de la quiebra, alentadas por los progresos de Guillermo, Celina y su hermana nuevamente les entablaron juicio a los primos de La Pampa. Con tal de dejar de pagar los impuestos provinciales, estaban dispuestas a liquidar la estancia a un precio vil.

36

Durante un largo tiempo, Guillermo no pudo ocuparse de Helenita; a causa de su fracaso no se atrevía a llamarla y aunque ahora le iba mejor, seguía sin animarse. Entonces, su amada lo llamó a él. Helenita le reprochó –muy enojada– que se hubiera mudado sin dejarle su nuevo número de teléfono. Le contó que se había tomado grandes molestias para ubicarlo, ya que no figuraba en la guía y los nuevos propietarios de la casa de la calle Montevideo no tenían su número; por fin, se había acordado del apellido de soltera de Celina y había logrado dar con la tía. Helenita le relató estas peripecias sin ninguna reserva; Guillermo estaba desconcertado, su amada se había negado tantas veces a atenderlo y ahora se esforzaba tanto para comunicarse con él. Guillermo interpretó la llamada como un signo de gran interés, pero sospechó que para Helenita no pasaría de ser mera curiosidad.

Guillermo le echó la culpa de su descortesía al exceso de trabajo y a la depresión de su madre a raíz de la muerte de la tía Concepción. Omitió que no se animaba a verla para eludir la embarazosa confesión de su quiebra. Mentirle a Helenita por teléfono lo hizo transpirar tanto que tuvo que cambiarse la camisa. Mentirle en persona le hubiera resultado imposible, de modo que Guillermo no le propuso que se encontraran. Al cortar la comunicación, Helenita estaba más intrigada que antes.

Aunque Guillermo tenía miedo de que Helenita se enojara, evitar la cita le causó un paradójico alivio. Amarla en secreto, con la angustia de no saber si alguna vez sería correspondido, teñía de pesadumbre cada momento de su vida. En las escasas ocasiones en que lograba ponerse a meditar sobre el tema, a Guillermo lo desconcertaba la profundidad de su obsesión, como si Helenita hubiera segregado una sustancia corrosiva que hubiese agujereado todas las capas de su ser. El rasgo más destacado de esta pasión era su insólita persistencia, sobre todo considerando que no le aportaba ningún placer. Y ahora que sin proponérselo –casi sin darse cuenta– se había distanciado, Helenita lo llamaba y volvía a capturarlo. Justo cuando comenzaban a interesarle tibiamente otras mujeres.

Harto de los abrazos nocturnos de su madre, luego de una turbadora amenaza de erección, Guillermo ensayó dos soluciones igualmente insatisfactorias. Se fabricó un nuevo cilicio, más con propósitos de contención que de escarmiento. El artefacto se componía de un cinturón de cuero forrado en tela de algodón, sin pinchos, ancho como el antiguo correaje de los policías, que le oprimía el sexo como una faja y sofrenaba sus ardores. Lo primero que Guillermo hacía cuando llegaba a su casa luego de la oficina era ponerse el cilicio debajo de los pantalones. Alternaba este incómodo recurso con otro más simple: como cualquier marido infiel, inventaba reuniones de trabajo por las cuales regresaba muy tarde. Al principio, cenaba un sándwich en un bar del centro y se quedaba mirando la televisión hasta la hora en que encontraría a su madre dormida. Con el correr de los meses empezó a salir con mujeres.

Hasta entonces su actividad sexual predominante había sido la masturbación. En opinión de Guillermo, un recurso gratuito, limpio y que no le restaba nada del tiempo mental que destinaba a los negocios: no se quedaba enganchado en réplicas imaginarias por discusiones de pareja, ni mortificado por el temor al sida o a los embarazos no deseados; no tenía que perder tiempo en maniobras de seducción y el acto completo duraba mucho menos que un coito. Guillermo se masturbaba todas las noches antes de irse a dormir, con la misma regularidad higiénica con que se cepillaba los dientes –en ocasiones *mientras* se cepillaba los dientes–. En ciertas épocas, lo hacía cuando se duchaba; en otras, sentado en la cama, con la *notebook* sobre las piernas, mirando fotos pornográficas por internet. Aprendió a manejar el *mouse* con la mano izquierda. Guillermo le atribuía a esta rutina hogareña un carácter preventivo, un modo de vaciarse de la presión de peligrosos deseos sexuales; librarse de una sobrecarga que podía desviarlo de su verdadero camino.

Prefería encontrarse con ellas a oscuras: de día reinaba Helenita –o, más bien, el recuerdo de Helenita–. La belleza de su amada opacaba la de cualquiera de sus novias, las velaba como se vuelve invisible la luz artificial frente a los rayos del sol. A Guillermo le gustaba tocarlas, gozaba con la tersura de sus cinturas y caderas, las acariciaba tendidas de costado, desde los hombros hasta las nalgas. Les ponía crema y se las esparcía hasta que quedaban como estatuas brillando a la luz del televisor. El contacto con los cuerpos femeninos lo sedaba.

Curiosamente, por temporadas, Guillermo se desesperaba por conseguir una novia que lo librara de Helenita. Trataba de convencerse de que las amaba, les tomaba la cara entre las manos y las miraba a los ojos con adoración; como si su simulacro de amor pudiera despertar el amor de ellas y, por reflejo, suscitar el suyo propio. También le daban accesos de ternura auténtica, en general después del sexo, agradecido por el placer que había recibido. Podría haber llegado a dormir abrazado con alguna de sus novias, si alguna vez hubiera dormido con ellas. Siempre se rehusaba con el mismo pretexto: que los colchones de los hoteles alojamiento eran demasiado duros y que él tenía que dormir bien para estar despejado al día siguiente en la Bolsa. En realidad, sabía que si pasaba toda la noche fuera de casa su madre le haría una escena de reproches insoportable.

Guillermo reunía cualidades que imitaban ciertos aspectos del amor: era gentil, caballeroso, sumamente adulador –piropeaba a sus novias sin respiro–. Si alguno de estos noviazgos hubiera durado más de un año –solían no sobrevivir a los primeros meses–, se habría acordado de los aniversarios de la pareja. Guillermo las desorientaba, algunas de sus novias creían que se había enamorado de verdad. Pero los sentimientos en juego eran tan prematuros como frágiles y se combinaban con una actitud distante, que de entrada las seducía, pero al final lograba exasperarlas. Pronto se hartaban de su aire ausente, de que las atravesara con la mirada como si no existieran y de que no hablara de otra cosa que de dinero e inversiones. Captaban que no tenía ningún deseo por ellas fuera del sexual. Si tardaban en dejarlo –porque estaban perdidamente enamoradas o eran masoquistas–, Guillermo las abandonaba, ansioso por reanudar la búsqueda de la mujer que lo salvara de Helenita.

Le bastaba oír el rasguido del papel higiénico en el baño mientras descansaba en la cama luego del coito para deshacerse de su novia de turno. Cualquier detalle le servía para descartarlas, no toleraba la menor señal de torpeza. Según Guillermo, algunas de sus novias alisaban los dientes de las llaves de tanto forzarlas contra las cerraduras, quebraban la punta de los lápices, maltrataban la caja de cambios que crujía irritada y, lo peor, le raspaban el pene con los dientes o se lo arañaban por acariciarlo con los anillos puestos. Otras opinaban sin ser consultadas, le parecían gritonas o charlatanas; en síntesis, no lo escuchaban en admirativo silencio. El sida lo aterrorizaba. Se separó bruscamente de una novia, en unas vacaciones en un hotel en la playa, porque encontró granos de arena en las sábanas. Guillermo temía que con la frotación de los órganos el poder abrasivo de la arena atravesara el profiláctico, los lastimara y mezclara las sangres. Tampoco le agradaban las mujeres con escaso desarrollo muscular, las que no habían aprendido a coordinar sus movimientos practicando danza o deportes. Por supuesto, Helenita funcionaba como el arquetipo de todas ellas.

Guillermo tramaba negocios en los cuales sus novias participaban como potenciales clientes. Todas provenían de familias de buena posición económica –Guillermo especulaba con anudar relaciones con sus acaudalados padres–. Un sueño se le repetía con frecuencia: le pedía prestado dinero a una de sus novias ocasionales y no devolvía el préstamo. Esta conducta dañaba la relación –y la deuda duraba mucho más que el noviazgo–, pero Guillermo se despertaba tranquilo: con el dinero en la mano y libre para seguir encadenado a Helenita.

A pesar de que Guillermo actuaba con sus novias dentro de las vías legales, su tío Ezequiel temía que no fueran las morales. "No te vendas", le advertía el tío. Le recomendaba que nunca se casara para apropiarse de una herencia o de una acción de la Bolsa de Comercio –que le permitiría fundar su propia agencia, el anhelo más profundo de Guillermo–. "No queda bien entrar al negocio *per vagina*", como denominaba el tío Ezequiel a los casamientos por interés, sin saber que casarse con otra que no fuera Helenita era algo que no entraba en los planes de su sobrino.

Aunque Guillermo sabía que la soledad era perjudicial para su imagen de triunfador, recién se relacionó con mujeres a raíz de los abrazos de su madre y luego de la bancarrota, cuando sintió que la probabilidad de conquistar a Helenita se alejaba como un barco luego de abandonar a un amotinado en una isla desierta. Fue una jugada muy oportuna. Las novias desmentían el sospechoso apego a su madre que Guillermo había cultivado hasta entonces. Aparecer como un nene de mamá o un hombre de sexualidad equívoca o desconocida no convenía a los fines de inspirar confianza a sus clientes. La repentina sucesión de romances sorprendió a los colegas de Guillermo, reemplazaba a sus novias con tanta rapidez que pasó de su misteriosa castidad a que lo consideraran un mujeriego desaforado.

Cuando se acordaba de las novias que había traicionado en esos años, a Guillermo lo asaltaban los remordimientos. Sentía que abusaba de las mujeres, que actuaba con vileza, como su padre: un seductor y vividor. Se justificaba ante sí mismo diciendo que si lograba engañarlas era porque ellas deseaban ser engañadas, porque no soportaban perder la ilusión del amor. "Somos todos adultos, ellas saben a qué se exponen". Pero este argumento no tranquilizaba su conciencia, no podía desconocer que omitía un dato clave: que estaba enamorado de otra. Guillermo entendía perfectamente el padecimiento que les causaba, lo había experimentado por Helenita todos estos años. Se preguntaba si Helenita lo vería a él como él veía a sus novias abandonadas, con ese aspecto inválido y doliente de patos empetrolados. Cuando sus novias le recriminaban entre lágrimas su falta de capacidad para amar, Guillermo sonreía: si en verdad lo hacía todo exclusivamente por los dulces lazos del amor.

37

Un año más tarde, cuando la situación económica de Guillermo le permitía soñar con llamar a su amada para recordarle que aún existía, Helenita se le adelantó nuevamente. Su voz sonaba muy preocupada: había muerto el abuelo de Ramón, el director de la Metalúrgica Izarreta. Quizá Guillermo se apuró en darle el pésame; Helenita le respondió con fría honestidad: "No sentí nada, el viejo nunca me gustó, lo único que le interesaba era la plata. Estoy un poco asustada por el futuro de la empresa. Ramón padre se deprimió y se metió en la cama, y el imbécil de mi marido no tuvo mejor idea que irse de safari al África. Dos idiotas irresponsables", estalló Helenita.

Mientras intentaba calmar a su amada, Guillermo se reprochó que nunca se le hubiera ocurrido sondear la situación económica de la metalúrgica. Sobre todo considerando que, si su hipótesis de que Helenita se había casado por dinero era cierta, la quiebra de la compañía precipitaría la ruptura del matrimonio. Helenita se había reunido en secreto con el contador de la empresa para ponerse al tanto del estado de cuentas. Aunque recurrió a sus argumentos más convincentes, el contador no logró tranquilizarla; Helenita temía que se hallaran al borde de un descalabro financiero, sabía que su casa y la estancia de los Izarreta en Punta Indio estaban hipotecadas. Las palabras "embargo", "convocatoria de acreedores" y "remate judicial" la sacudían en medio del sueño como descargas eléctricas. El contador aceptó entregarle fotocopias de los balances, del libro de bancos y de otros papeles. Helenita le dijo que había contratado un estudio contable para que efectuara una auditoría externa.

Hacía tanto tiempo que no la llamaba que Helenita temió que Guillermo se hubiera olvidado de ella. Para asegurarse los favores de su viejo amigo se encargó de adularlo de manera explícita. Le dijo que le habían llegado comentarios acerca de sus éxitos profesionales y de su habilidad para los negocios, lo pintó como un completo triunfador. Guillermo dedujo que su amada no se había enterado del revés que había sufrido en la Bolsa hacía apenas dos años. En ese tiempo, la situación de Guillermo y su madre había cambiado, se habían mudado del triste departamento de San Telmo a uno más grande y luminoso en la zona de Retiro, cerca de la Bolsa y a tres cuadras de la casa de Helenita. Un departamento de paredes esmaltadas y pisos laqueados: superficies pulidas donde no pudieran anidar las cucarachas que habían reinado a su antojo en todas las casas anteriores. Quedaba en el piso veintisiete de un edificio en torre, Celina siempre había querido contemplar la ciudad desde arriba.

Solo en una cosa Guillermo no satisfizo a su madre: a pesar de la insistencia de Celina, que anhelaba volver a vivir bajo un techo propio, Guillermo decidió alquilar en lugar de comprar; deseaba disponer de todo el capital posible para invertir en la Bolsa. Únicamente renunció al criterio de mantener su dinero en estado líquido cuando inmovilizó buena parte de este en la compra de un BMW Z3. Un auto pintado de color gris tiburón, con una pintura tan metálica que parecía el acero de la carrocería al desnudo, y con los tajos oblicuos de las tomas de aire a cada lado del motor como branquias de tiburón. Una coupé deportiva y antifamiliar semejante al Mercedes Pagoda de su padre (que Guillermo vendió, pese a las protestas de Celina, para no seguir gastando en garaje y patente).

Ahora se sentía en condiciones de enfrentar a su amada; aunque ella supusiera que le iba muy bien, mostrar lo bien que le iba era mucho mejor.

Por supuesto, Guillermo aceptó encantado estudiar los documentos de la empresa. En los días previos al encuentro, intentó mantener a raya sus expectativas: "Me llamó para que la ayude con los números, como siempre", se repetía.

Pasó a buscarla por la casa. Helenita estaba tan alterada que se olvidó de alabarle el auto. Guillermo le regaló un ramo de rosas rojas. "¡Qué divinas!", dijo Helenita y, mirándolo con deseo, agregó: "Hmm... rosas rojas, el color de la pasión". Guillermo se ruborizó y notó que el comentario le provocaba cierto repudio moral; aunque le parecía estúpido, no podía evitar exigirle recato a su amada. Hacía tres años que no se veían. "Antes tenía otra nariz", pensó Guillermo. "¿Para qué se habrá operado?" El cirujano le había dejado una cosita minúscula, prácticamente los dos agujeros. Se lo imaginó como un escultor siempre insatisfecho con su obra, que no sabía dónde detenerse. Con los ojos rasgados y el labio superior largo y delgado bajo la nariz diminuta, la encontró parecida a una gata. Guillermo no registró ningún otro cambio; su mirada de amor borraba las arrugas y cualquier otro signo de marchitamiento.

Como los antiguos caballeros de armadura, atesoraba el pañuelo de seda que Helenita se había olvidado en un bar en la remota época de la facultad. Mientras el pañuelo envejecía, se deshilachaba y perdía color, Helenita permanecía intacta. Guillermo conservaba el pañuelo en la caja de seguridad del banco, fuera del alcance de su madre, junto con los dólares y las acciones que lo acercarían a su amada. Como cada vez que abría la caja empapaba el pañuelo con perfume, el dinero, los papeles y el viejo Rolex de su padre también olían a *L'air du temps*. Además guardaba las fotos de Helenita, la única carta que su amada le había enviado y el otro pañuelo: blanco, con las manchas achocolatadas de su propia sangre; una señal conmemorativa innecesaria: todas las mañanas se topaba en el espejo con su nariz rota.

A Guillermo le llamó la atención que Helenita propusiera que fueran a La Biela. Se había imaginado que irían a alguna confitería de barrio apartada de sus circuitos habituales, como en los encuentros de los primeros años. Para colmo, Helenita eligió una mesa al aire libre, de las más visibles, como si ya no le importara que algún amigo o conocido la pescara con Guillermo. "Quizás tampoco con cualquier otro hombre", se dijo perplejo. En un instante Guillermo pasó del desconcierto a la indignación. "La hija de puta mata dos pájaros de un tiro, se reúne conmigo y de paso aprovecha para darle celos al marido o a algún amante", se dijo, asombrado de la virulencia de sus propias palabras. De inmediato, el resentimiento se convirtió en una acusación contra sí mismo por no haber sido más franco y valiente con su amada desde el principio. Por fin, cuando Helenita le entregó el portafolio con los papeles de la metalúrgica, Guillermo pensó que estaba tan enojada con Ramón, que exponerse en público era como una declaración de guerra.

No solo en este aspecto el encuentro se diferenció de todos los anteriores, después de tantos años de discreción, Helenita comenzó a contarle cómo se llevaba con su marido. "Mirá cómo es Ramón", comenzó Helenita con tono quejoso, "se volvió loco porque le hice una fiesta de cumpleaños sorpresa por los treinta". ("Ya cumplimos treinta", pensó Guillermo, afligido de que el tiempo hubiera pasado tan rápido). Para los preparativos de la fiesta, Helenita salía todos los días con diferentes pretextos, Ramón no sospechaba nada; más tarde cayó en la cuenta de que si ella podía mantener en secreto semejante grado de actividad tranquilamente podía serle infiel. Le dio un ataque de celos. "Me pegó", dijo Helenita, llevándose la mano a la nariz. En ese momento observó cómo la cara de Guillermo se transfiguraba en una mueca de rabia. Intentó dar marcha atrás, comenzó a minimizar el hecho. "Me pegó con la mano abierta, una cachetada en broma, como jugando". Guillermo sabía demasiado bien que Ramón nunca jugaba, a duras penas logró contener sus lágrimas de impotencia. Helenita se sintió reconfortada; supuso que si la ocasión lo demandaba, Guillermo la defendería de Ramón. La conmovió que continuara amándola de este modo después de tanto tiempo.

Para ocultar su desborde emocional, Guillermo trató de desviar la atención de Helenita.

–Si es tan celoso, ¿cómo se va de viaje y te deja sola?

–¡Viste! Así es Ramón, medio bestia; ojos que no ven, corazón que no siente. Además tiene la excusa perfecta: para él los viajes son parte del negocio. Se va de caza con sus principales clientes, los ejecutivos de una automotriz.

–Te deja sola más de lo conveniente –dijo Guillermo, pretendiendo darle un tono amenazante a sus palabras, mientras no podía dejar de lanzar nerviosas miradas a su alrededor, preocupado de que alguien pudiera verlos.

–Ramón es fanático de la caza y le encantan los animales, me parece que los animales le interesan más que las personas. Me voy a tener que disfrazar de oveja –dijo Helenita con una sonrisa irónica.

Entonces, tal vez para que Guillermo no pensara que se entregaba a la autocompasión, Helenita empezó a burlarse de los hombres. Con sus amigas habían decidido que la versión masculina del amor se parecía sugestivamente a dos actividades: cazar y orinar. Decían que un seductor es un cazador. A diferencia del cazador deportivo, que muchas veces no se come a la presa, el seductor, como un predador verdadero, no se limita a cazarla: cuando la atrapa suele satisfacer sus apetitos en ella; incluso, a veces se entusiasma tanto que puede llegar a casarse con la presa. Al principio la deja con vida, pero con el tiempo se aburre y, convenientemente disecada, la exhibe como trofeo; de esta manera, el cazador queda libre para salir a perseguir nuevas mujeres.

–A los cazadores les fascinan los trofeos. El *living* de mi casa esta lleno de cabezas cortadas, cuando entrás te clavan la mirada un montón de animales muertos. Los hombres extrañan las emociones fuertes; para la mayoría la caza de mujeres es la única aventura posible. No todos pueden jugar con millones de dólares como vos –sonrió Helenita.

Guillermo le restó importancia con un ademán, dijo que su trabajo no era tan excitante. Cuando Helenita empezó a exponer las similitudes entre amar y orinar, Guillermo desvió su atención hacia otro asunto: se concentró en planear un gran emprendimiento que le serviría para sacar a Ramón de en medio, aprovechando su pasión por la caza.

Mientras Helenita le explicaba que el sexo en los hombres sigue el modelo urinario y que quizá favorecía la confusión el hecho de que el mismo órgano prestara ambos servicios, Guillermo planeaba La Pampa Africana S. A., un nombre que condensaba las quejas de Helenita (que en esa tarde había repetido varias veces que no podía creer que su marido se hubiera marchado a un safari en África, en lugar de ocuparse de la metalúrgica) con un tema que siempre lo mortificaba: el pleito que su madre y su tía le habían entablado a los hijos del tío Ezequiel para dividir la estancia de La Pampa. Tironeado entre la lealtad a su madre y la lealtad a su tío, Guillermo casi no conseguía conciliar el sueño. Y cuando Helenita le comentaba que ambas urgencias eran similares; que, como sucede con el sexo, antes de orinar el sujeto sufre la tensión y después viene el alivio con la descarga a chorros, Guillermo pensaba que, por ahora, el juicio estaba trabado porque el tío Ezequiel había contratado abogados más poderosos que la misma Justicia. (Ezequiel no soportaba la idea de que sus hijos volvieran a vivir a Buenos Aires, a pesar de que ya no eran los jóvenes descarriados de antes).

"Muchas personas opinan que el sexo en el hombre es evacuatorio", decía Helenita, "creen que el semen retenido funciona como un veneno, por lo tanto hay que excretarlo. Finalizado el acto, qué hacer con la mujer que ha recibido la evacuación o, más bien, cómo deshacerse de ella. La mujer desea que la escena amorosa no se interrumpa tan abruptamente. Aunque conoce este desagradable hábito masculino, siempre guarda la loca esperanza de que con ella la cosa será diferente. Pobre ilusa". "Quizá se pueda llegar a un arreglo conveniente para ambas partes", se esperanzaba Guillermo. Por su mente circulaban retazos de un gran negocio: un coto de caza de animales africanos, ubicado en las tierras de la familia, en el cual Ramón se desempeñaría como una especie de mayordomo de estancia, un capataz que supervisaría la ejecución del proyecto. Como antes con los hijos de Ezequiel, la estancia de La Pampa serviría para dar albergue a un inútil.

Guillermo no necesitaba examinar los papeles del portafolio para vaticinar el hundimiento de la Metalúrgica Izarreta: ninguna empresa puede sobrevivir sin conducción. Cuando Ramón quebrara, le ofrecería empleo en La Pampa Africana S. A. Aunque ya pasaban largos períodos alejados, Guillermo suponía que el hecho de que Ramón tuviera que vivir en forma permanente a setecientos kilómetros de Buenos Aires arruinaría el matrimonio en forma definitiva. Guillermo especulaba con que Helenita no soportaría la humillación de ver a su marido convertido en empleado, a Helenita le fascinaban los poderosos.

Y si algo faltaba para estimular las expectativas de Guillermo, su amada se lo proporcionó bajo la forma de una crítica a ciertos hábitos sociales. "Dicen que las cosas son al revés de lo que parecen, que en realidad la mujer elige al hombre; eso es una gansada. A la gente le encantan los datos supuestamente sabios que contradicen las apariencias. En la práctica, una tiene que esperar a que la elijan y contentarse con alguno de los que se presentan, como cuando esperás que te saquen a bailar". Mientras hablaba, Helenita estudiaba el efecto de sus palabras sobre su interlocutor, segura de que Guillermo se estaría preguntando por qué seguía con Ramón si no lo había elegido; entretanto, ella se preguntaba cómo sería Guillermo en la cama, porque hacia allí viajaban siempre sus pensamientos. El pasatiempo preferido de Helenita era representarse a sus amigos y amigas en encuentros sexuales; intercambiaba parejas, los combinaba entre sí, se incluía ella misma en tercetos o cuartetos. Trataba de imaginarse quiénes cultivaban el sexo oral o el anal, quiénes tomaban drogas, quiénes miraban películas pornográficas.

38

Después de estudiar los balances y el resto de los papeles del portafolio, Guillermo le dijo a Helenita que la metalúrgica se hallaba en un estado financiero usual en muchas empresas argentinas. Había decidido no mentirle acerca del futuro, pero tampoco mostrarse agorero. Los próximos meses confirmaron su pronóstico, la inercia de tantos años de buena gestión permitió que la metalúrgica se mantuviera a flote. A pesar de que no existía ningún peligro en lo inmediato, Helenita decidió permanecer cerca de Guillermo; empezaron a encontrarse con cierta asiduidad.

Todavía operando dentro de la agencia de su tío, Guillermo organizó el Club de Hombres de Acción, un fondo de inversores con sede en Miami. Lo bautizó con un juego de palabras a pesar de la oposición de Ezequiel, que prefería nombres más formales, con pretensiones técnicas o, por lo menos, en inglés. Guillermo lo llamó Club de Hombres de Acción porque estaba dirigido a ejecutivos muy jóvenes que se habían enriquecido con el negocio informático. Para su sorpresa, se encontró con que muchos de sus miembros eran verdaderos hombres de acción, aficionados a los deportes de riesgo: aladeltismo, andinismo, caza mayor, paracaidismo, incluso contaban con un navegante solitario. Guillermo sabía que varios de ellos estaban muy bien conectados para una empresa como La Pampa Africana S. A.

Al éxito del Club de Hombres de Acción se sumó un galardón inesperado y muy lucrativo: por su descollante evolución profesional, una revista de actualidad de gran tirada nombró a Guillermo uno de los diez jóvenes sobresalientes del año. Lo propuso para el lauro una periodista fascinada con los triunfadores –aunque tuviera que fabricarlos–. Esta publicidad gratuita le atrajo nuevos clientes. En poco tiempo, Guillermo multiplicó el capital del fondo de inversión. No solo ganaba dinero con las comisiones bursátiles, habituado a apostar fuerte, no lograba vencer la tentación de continuar exponiendo su patrimonio personal. Sus colegas lo criticaban, decían que especular con dinero propio borraba el límite entre un agente de Bolsa y un jugador compulsivo. No obstante, Guillermo siguió arriesgándose. Todavía le duraba la vergüenza por la superstición de la Vara rabdomante que lo había llevado a la ruina, pero su impaciencia no había disminuido.

Cuando se enteró de que Guillermo había sido elegido uno de los diez jóvenes sobresalientes, Helenita lo llamó por teléfono. En el café lo asedió con preguntas; quería saber qué se sentía al estar en los medios, si lo reconocían en la calle, cómo eran las sesiones de fotografía. "Me felicitaron solamente los muchachos del recinto", le aclaró Guillermo muy serio, "para ser famoso hay que aparecer en televisión". "Vamos…", dijo Helenita, apoyándole la mano en el antebrazo y estrechándoselo con cariño "vos siempre tan modesto". Y de repente, cuando Guillermo estaba totalmente relajado y complacido consigo mismo, su amada lo sorprendió con un violento cambio de actitud. "No creas que por salir en las revistas sos alguien", contraatacó Helenita sin que la hubieran atacado. Y coronó su comentario con una referencia a las canas de su amigo: "Además los engañaste, ya no sos joven".

Guillermo se quedó mirándola con la boca abierta en una semisonrisa incrédula. "Chistes de Helenita", la excusó afligido. De inmediato, Helenita se arrepintió de haberlo agredido; por algún motivo enigmático no resistía el impulso de burlarse de Guillermo. Volvió a adularlo con falso entusiasmo, elogios protocolares solo destinados a resarcirlo de la ofensa. Al despedirse, Guillermo pensó que su amada no soportaba que los papeles se hubieran invertido y que ahora a él le fuera bien y a ella mal.

39

Una noche, Helenita llamó a Guillermo pasadas las dos de la madrugada con un tono de alarma inusitado en ella. "Ramón está preso", dijo furiosa, "el muy imbécil le pegó un tiro a su amiguito belga". Según Helenita, Ramón había cometido el error de herir, en un dudoso accidente de caza, a uno de los directivos de la empresa automotriz que compraba la mayor parte de la producción de la metalúrgica.

Cuando se encontraron, Helenita le contó muy nerviosa que habían ido a cazar ciervos colorados a un coto en Sierra de la Ventana. Al parecer, el belga había herido a un macho y se había separado del resto de los cazadores para rematarlo. Una bala le rozó la frente, la hallaron incrustada en el tronco de un árbol. El perito en balística determinó que había sido disparada por el rifle de Ramón. La noche previa al accidente se habían emborrachado; según los testigos, discutieron y el belga lo insultó. Tuvieron que separarlos para que no se pelearan a trompadas. Los cazadores la consideraron una simple pelea entre borrachos y, antes de irse a dormir, los obligaron a hacer las paces.

Ramón había quedado detenido en la comisaría de Sierra de la Ventana. Helenita se negaba a visitarlo. "No pienso ir a verlo. Es un idiota malcriado", repetía como si tratara de convencerse a sí misma, "ya hizo demasiadas estupideces, mi paciencia tiene un límite. Le mandé un abogado". (A pesar de su propósito, al día siguiente Helenita tomó un avión a Bahía Blanca y llegó a Sierra de la Ventana al anochecer).

Aunque lo caratularon como accidente de caza, el belga le inició una demanda penal por intento de homicidio y rescindió el contrato con la metalúrgica. "Los penalistas te matan con los honorarios. Con lo que el abogado nos va a cobrar, terminamos de fundirnos", le dijo Helenita angustiada. Le contó a Guillermo que tres semanas antes del episodio, el belga los había invitado a comer al Museo Renault. Hablaron en francés; Helenita y el belga se burlaron de la pronunciación de Ramón, que sonreía sumiso. Helenita sintió que el belga había estado demasiado atento con ella, le festejaba los chistes con sospechoso entusiasmo. Ramón quedó muy enojado, loco de celos.

40

Cuando se cruzaban en la oficina, Guillermo y su tío no hablaban del litigio por la estancia de La Pampa; esquivaban el tema con mucho cuidado, como si caminaran por el borde de un pestilente pozo ciego. La acusación de administración fraudulenta podía arrastrarlos a una pelea familiar que ninguno de los dos deseaba. Guillermo le propuso un arreglo transitorio: dejarle a los hijos de Ezequiel el casco de la estancia y las parcelas más fértiles y tomar posesión, en nombre de su madre y su tía, del resto de las tierras: un monte inculto de caldenes y arbustos espinosos, una superficie muy extensa pero de baja rentabilidad. Por el monte vagaban vacas y ovejas cimarronas; rústicas ovejas bíblicas, de lana hirsuta y desmadejada y la cabeza pelada por el roce contra las zarzas; vacas tan musculosas que con su carne solo se podían elaborar hamburguesas (una vez por año se realizaba un rodeo y se las despachaba al mismo matadero en el que se procesaba a las mulas y caballos que ya no servían para el trabajo). Al tío Ezequiel, el acuerdo le pareció aceptable, ni siquiera tuvo que ejercer presión sobre sus hijos. "Ezequiel volvió a salvarles el pescuezo a los primos *loden*", sonrió Guillermo. En las dos ocasiones en las que los había visto (en el funeral de su padre y, años más tarde, en el de su tía Concepción, y estaba seguro de que en ninguna otra oportunidad porque en la familia no había habido casamientos ni bautismos), los primos siempre habían usado los mismos viejos sobretodos reversibles de *loden* que el tío Ezequiel les había comprado en la adolescencia.

41

Los negocios del Club de Hombres de Acción continuaron prosperando. Guillermo tenía que viajar a Miami tan seguido que resolvió alquilar un departamento cerca de su nueva oficina. Contrató una secretaria personal, *miss* Mimi que, además de sus tareas como secretaria, asumió las de profesora de inglés. En numerosas ocasiones *miss* Mimi debía acompañarlo en sus vuelos entre Miami y Buenos Aires. Al principio, ella viajaba en clase turista y Guillermo en *business*. Con la excusa de que los viajes eran una inmejorable oportunidad para practicar inglés, Guillermo comenzó a hacerla volar en *business*, pagando la diferencia de su propio bolsillo. Mimi también lo acompañaba a cerrar tratos en calidad de intérprete; lo acompañaba a todos lados, tanto que algunos clientes la tomaban por su mujer.

Miss Mimi le gustó desde el primer momento. En uno de los vuelos le pasó la mano sobre el hombro y la atrajo hacia sí. Mimi era extremadamente dúctil, se adaptó a la forma del cuerpo de Guillermo como si lo conociera de toda la vida; se durmieron abrazados. Guillermo no previó las consecuencias de este abrazo. Después, intentó achacarle a Mimi alguno de los defectos de los que se valía habitualmente para descartar a sus novias. (Se había deshecho de la última de ellas porque le había impresionado la blandura de su piel; el dibujo de la trama de las sábanas le había quedado grabado en las tetas, hilo por hilo, como sobre masilla húmeda). Pero a Mimi no le encontraba ninguna falla. Se parecía a Chip & Dale, las ardillitas de Disney; los mismos ojos rasgados color café, los grandes dientes delanteros, siempre sonriente, flexible y movediza. A Guillermo le encantaba acariciarla; la piel de Mimi era tan suave que parecía no tener poros, el tono oliváceo le recordaba la piel de sus tías y de su madre. Mimi siempre estaba dispuesta a ir a la cama, incluso enferma y con fiebre. A la hora del sexo se trenzaba apasionada como una enredadera. "Una enamorada del muro", pensaba Guillermo con sarcasmo, y trataba de conservar la distancia comportándose como un muro. Mimi se aproximaba tanto a su ideal de mujer que le resultaba sospechosa, como si alguien que conociera la lista de objeciones que Guillermo solía interponer se la hubiera enviado a propósito.

Era un amor turístico, de hoteles, aviones y restaurantes pero, sobre todo, era un amor en inglés y para Guillermo esto representó una gran ventaja. Cuando le decía *I love you* o la llamaba *Honey* o *Sweetheart*, Guillermo notaba por la cara de arrobamiento de Mimi cómo la alcanzaban de lleno estas palabras pronunciadas en su lengua materna; en cambio a él le sonaban huecas, de galán de Hollywood. Por supuesto, no había sentido lo mismo años atrás cuando Helenita firmó esa carta –la única–, con la frase *Luv from Helen*. Entonces, Guillermo había llorado de emoción. El inglés le permitía una suerte de bigamia; podía recluir a Mimi en un espacio irreal, apartado de la circulación general de su mente; no competía con sus sentimientos hacia Helenita, simplemente no entraban en contacto. Sin embargo, con el correr de los meses, Guillermo se acostumbró a pensar en inglés y la estratagema de la insensibilidad idiomática empezó a derrumbarse. La relación se profundizó; cuando se separaban, Guillermo la extrañaba: un sentimiento inesperado, fuera de todo plan. Como no podía cortar la relación, decidió enfriarla. Permanecía más tiempo en Buenos

Aires, espació los viajes, las llamadas, las promesas. También dejó de declararle su amor en inglés impunemente, cada día se sentía más culpable de traicionarla.

42

En los sucesivos encuentros con Helenita, Guillermo se fue enterando de las estaciones del hundimiento de la economía de Ramón: los onerosos arreglos para que la demanda penal volviera a caratularse como accidente de caza, la convocatoria de acreedores de la metalúrgica, la venta de la estancia de Punta Indio. Tal como Guillermo había previsto, Helenita le pidió un préstamo. Él ya lo había meditado y había resuelto negárselo, también había decidido que aprovecharía ese momento y le ofrecería el trabajo para Ramón. Guillermo sabía que no le convenía prestarle dinero a Helenita, a la larga lograría un efecto inverso al deseado: Helenita era muy orgullosa, no toleraría su caridad aunque la hubiese solicitado; se sentiría humillada y lo atacaría con cualquier excusa. Guillermo planeaba convertirse en millonario para seducirla, pero no quería que Helenita dependiera de su dinero, sino que lo amara. Para justificar su negativa adujo que, tarde o temprano, Ramón se daría cuenta de que el préstamo no provenía del padre de Helenita, como ella le habría dicho. A cambio, Guillermo le ofreció ayuda profesional para reprogramar la deuda con los bancos; ni bien empezó a hablarle con términos como "Caución" o "Ingeniería financiera", Helenita torció la boca en una mueca burlona, como si Guillermo estuviera fanfarroneando.

El golpe de gracia para Ramón, lo que terminó de deprimirlo, fue perder la estancia de Punta Indio. Tuvieron que malvenderla al borde del remate judicial. "No más cacerías vestidos con ropas ridículas, ni ovejas violadas en el galpón", sonrió Guillermo complacido. "Una pérdida lamentable".

"Ahora tengo a Ramón en Buenos Aires, tirado en la cama todo el día. No lo aguanto más", se quejó Helenita. Sin embargo, cuando Guillermo le explicó en qué consistía La Pampa Africana S. A. y el cargo que Ramón ocuparía en el proyecto, Helenita lo miró con desconfianza: "¿después de lo que te hizo?". Guillermo no había previsto toparse con objeciones. Se embarcó en una justificación enmarañada y poco plausible acerca de que había sido una pelea justa; que si él hubiera sabido pelear, el lastimado habría sido Ramón y que le parecía enfermizo guardarle rencor después de tantos años. Helenita lo observaba con la cabeza ladeada en un gesto de escepticismo, recién le dio crédito cuando Guillermo mencionó el motivo de la disputa. "Ramón me había advertido que no fuera a despedirte", le dijo con la voz temblando de rabia. Se quedaron un largo rato en silencio. La pasión desesperada de Guillermo siempre la conmovía. Helenita luchó para esconder sus sentimientos. "¡Qué contento que se va a poner Ramón!", exclamó de repente. Y Guillermo pensó en lo contenta que se pondría ella de no tener que soportarlo, y en lo contento que se pondría Ramón con sus leones, y en lo contento que se pondría él mismo como patrón del esposo de Helenita: todos contentos.

Guillermo la llevó en auto a la casa. Antes de bajarse, Helenita se demoró buscando algo dentro de la cartera, por fin sacó las llaves, volteó hacia Guillermo y se quedó mirándolo. Guillermo pensó en besarla, pero no podía discernir si su amada lo miraba con gratitud o amor. Tardó demasiado en decidirse. Helenita le dio un beso en la mejilla y se bajó del auto. Ya afuera todavía le costaba despedirse, se quedó inclinada dentro del marco de la puerta abierta sin decir nada; por fin, suspiró y se fue.

43

Por teléfono Guillermo fue muy escueto: "tengo un trabajo para vos que seguro te va a interesar". Cuando Ramón le pidió precisiones, Guillermo repitió "estoy seguro de que te va a interesar" y lo citó en el recinto del edificio viejo de la Bolsa. Al encontrarse, Guillermo no le contestó el saludo, dejó a Ramón con la mano extendida en el aire. Tampoco lo presentó a los colegas que se acercaban a saludarlos y, cuando se dirigía a él, miraba por encima de la cabeza de su rival, como si Ramón fuese mucho más bajo de lo que era.

"Aquí estoy con *el jabalí* Izarreta; con Ramón, *el Dogo*; *el Chancho Salvaje* Ramón; un animal entre animales. Ahora lo voy a poner donde tiene que estar", se inflaba Guillermo triunfante. Fueron a la confitería Richmond y se sentaron en una mesa junto a la ventana. Guillermo permaneció callado, se figuraba que Ramón estaría muy ansioso por saber qué iba a proponerle. Hacía ocho años que no lo veía, Guillermo lo encontró más ancho y pesado, aunque no parecía que se debiera a la gordura; también algo avejentado, las arrugas se destacaban como estrías claras en la piel bronceada.

–Yo te lastimé y ahora vos me das una mano –rompió el silencio Ramón con tono compungido.

"Pero no te doy la mano", pensó Guillermo, irritado por el comentario y decidido a no permitir que Ramón se montara en una posición de superioridad compasiva bajo la máscara de una disculpa. No le contestó, buscó al mozo con la mirada.

–Me debés odiar –insistió Ramón.

–Esto no es un culebrón mejicano –dijo Guillermo secamente–, es un negocio. –Golpeado por la oleada de desprecio, Ramón encogió la cabeza entre los hombros–. No sé vos, pero yo hago negocios –remató Guillermo.

Lejos de enojarse, Ramón asintió con humildad, como un mal alumno pescado en falta por el profesor. Cuando el mozo se retiró después de servir los cafés, Guillermo sacó una carpeta del portafolio. En la carátula decía La Pampa Africana S. A.; la ilustraba como logotipo la figura de un león acostado, cruzado de manos a la sombra de un frondoso ombú.

–Represento a un grupo que quiere organizar un coto de caza; el turismo en la naturaleza es uno de los negocios con más futuro–, empezó a explicarle Guillermo. Abrumó a Ramón con infinidad de detalles técnicos acerca de la viabilidad económica del proyecto.

–¿Estás hablando de leones de verdad? –lo interrumpió Ramón, sorprendido.

–Claro.

–Viste que al puma lo llaman "El león americano".

–¡Qué puma! Leones, como el de la Metro Goldwyn Mayer. Tenés que mirar el dibujito de la tapa –dijo Guillermo, señalando con el dedo al león que sonreía a la sombra del ombú.

–Leones rugiendo en la pampa… –Ramón abrió la boca maravillado.

Guillermo esperó hasta que su interlocutor acabara de digerir la novedad, luego le entregó la carpeta; le explicó que necesitaba que reuniera información, esa sería su primera tarea. La carpeta contenía preguntas que le servirían de guía. Ramón leyó en voz alta, se detuvo en el punto que decía: "Tarifas por leones con categoría de trofeos".

–Esto te lo puedo decir ahora: un macho cobrado, de tres años, vale más o menos diez mil dólares. Varía de acuerdo al tamaño, el porte y color de la melena, por lo menos así es en Kenya. Hay tarifas para todos: las leonas, las gacelas, los *springbuck*, los ñus, todos.

Ramón continuó leyendo las preguntas, haciendo comentarios y aportando ideas. Habló de la necesidad de contar con un veterinario de animales salvajes que no le temiera a los grandes felinos; se imaginaba un grupo de cabañas de estilo africano, pero con más comodidades que un hotel de cinco estrellas, provistas de internet, DVD y Jacuzzi. Dijo que le gustaría vivir en el lugar y supervisar la construcción de las instalaciones; que se conformaba con una carpa, un catre de campaña y un baño químico; que pronto invitaría a Guillermo a comer cordero patagónico a la cruz.

Al principio, mientras Ramón hablaba, Guillermo lo ignoraba groseramente, volteaba la cabeza para seguir con la mirada a cada una de las mujeres que pasaban por la calle. Pero, a medida que Ramón avanzaba en la lectura de la carpeta y desplegaba sus conocimientos, Guillermo comenzó a entusiasmarse; dos hombres planeando un negocio, una situación que siempre le resultaba estimulante. Ramón jugaba con la idea de importar verdaderos guerreros masai.

–Son los que mejor se entienden con los leones. Su rito de iniciación es cazar un león a los trece años armados únicamente con una lanza. Le darían color local al coto de caza y trabajarían por nada, en África se mueren de hambre –Ramón se detuvo un segundo para observar el efecto de sus palabras y luego agregó–: los masai me enseñaron un par de trucos con la lanza, uso una *pike* de seis libras.

"Este hombre mata animales con una lanza, solo le falta el taparrabos", pensó Guillermo. "¿Cómo pueden hombres tan distintos elegir a la misma mujer? ¿Seremos tan distintos?"

–¿Te acordás que yo cazaba con lanza? –insistió Ramón expectante, adelantando el torso para exhibir sus poderosos hombros de lanzador de jabalina, con un gesto similar al de una mujer que se inclina para que puedan espiarle las tetas dentro del escote. Guillermo asintió con cara de cansancio. Enseguida se maldijo por ser tan blando, le había concedido un "sí" de reconocimiento que Ramón aprovechó para ufanarse de sus hazañas de caza. Guillermo se percató de que por un instante se había olvidado de que detestaba a Ramón, pensó que le costaba más sostener el odio que el amor. Para volver al estado de resentimiento le bastó con evocar el pañuelo ensangrentado que guardaba en la caja de seguridad del banco.

Recuperar la iniciativa resultó más fácil de lo previsto: interrumpió la perorata de Ramón y sin rodeos le anunció cuánto pensaba pagarle. Gozó de la mueca de sufrimiento que se dibujó en el rostro de su adversario; sin duda, la cifra no colmaba sus aspiraciones. Cuando Ramón expuso una débil protesta, Guillermo le explicó con tono de fastidio que el proyecto se hallaba en la fase de inversión y que debían ajustar los gastos al máximo. Agregó que había programado entrevistas con varias personas idóneas para el puesto; si Ramón no quería aceptarlo que se lo dijera ahora, porque él necesitaba a alguien absolutamente comprometido con el proyecto. "Alguien que se ponga la camiseta de la empresa", remató. Mientras Guillermo hablaba, Ramón asentía nervioso, retractándose de su reclamo, pero Guillermo parecía no quedar conforme con nada. Disfrutaba por anticipado pensando que le pagaría el sueldo cuando se le diera la gana. Se deleitaba imaginando situaciones en las que Helenita lo insultaría y Ramón tendría que humillarse y pedirle dinero prestado a su suegro. Como si hubiera tomado impulso y ya no pudiera frenarse, Guillermo continuó atacándolo presa de una singular excitación. Sin una razón que lo justificara, de repente le preguntó si tomaba cocaína. "Te veo tan acelerado... Quizás encaremos un negocio juntos, te adelanto que no hago negocios con adictos ni con borrachos". En lugar de enojarse Ramón se defendía. "Algo de vino en las comidas, un whisky cada tanto, drogas nunca, ni una aspirina".

–Tengo buen olfato para los negocios y este va a dejar mucha plata. –Mientras hablaba, Guillermo se manoseaba la nariz. Su nariz rota, cartilaginosa, "La goma"–. También tengo buen olfato para las personas, y tus antecedentes laborales no son de lo mejorcito que conozco –sonreía mientras se amasaba y retorcía la nariz.

–¡Este trabajo es justo para mí! –imploraba Ramón–. Es lo que realmente me gusta, nunca pude soportar la vida en Buenos Aires –decía tironeando del nudo de la corbata como si lo ahorcara.

Guillermo observó las manos de su enemigo; la piel correosa y bronceada, surcada de rasguños, los bordes de los dedos cuarteados, las uñas ennegrecidas y rotas. Tal vez Ramón tuviera mucha resistencia al cansancio o al frío, o supiera rastrear las huellas de un ciervo colorado, todas habilidades que no le servirían de gran cosa en una ciudad. "No me extrañaría descubrir que no sabe organizar su agenda o seguir un trámite bancario", se dijo Guillermo. No comprendía cómo había pretendido estudiar una carrera universitaria. A medida que iba desplegando estos pensamientos –mientras Ramón se defendía y disculpaba–, Guillermo se sentía cada vez más poderoso, con una sensación de triunfo absoluto sobre su rival. De pronto notó que tenía una erección. Su pene, que en cierta época nefasta lo había engañado convenciéndolo de que poseía el don de la clarividencia bursátil, se presentaba en escena sin que lo hubieran llamado y se erigía en obelisco conmemorativo de esta victoria. A Guillermo le dio un violento acceso de vergüenza, se sintió como un enfermo mental. Sin embargo, todavía engolosinado con el triunfo o quizás por simple inercia, arriesgó una confesión temeraria: "Sabés que esto no lo hago por vos sino por Helenita". Y en ese momento empezó a transpirar, su frente se cubrió de un sudor espeso y pegajoso como gotitas de aceite. Ahora, además de sentirse loco e incómodo con el pene tensando sus pantalones, estaba asustado.

–Pensé que Helenita ni siquiera estaba enterada de esta reunión –dijo Ramón con tristeza–. ¿Te pasa algo?

Guillermo tenía miedo de que Ramón le dijera "Me querés mandar lejos para quedarte con mi mujer. Siempre le tuviste ganas". Guillermo también tenía miedo de que Ramón le olfateara el miedo, como los perros. En ese momento, la erección comenzó a ceder.

–Estoy cansado –le contestó Guillermo–, ando con mucho trabajo–. Se restregó los ojos aparatosamente, tomó un sobrecito de azúcar de la mesa, lo rasgó y se volcó el contenido directamente en la lengua. Cuando su pene le permitió incorporarse, fue al baño.

Guillermo dio por concluida la reunión. Ramón insistió en acompañarlo de regreso a la Bolsa. "Voy para el mismo lado", se justificó; Guillermo se encogió de hombros. Cuando llegaron a la esquina de 25 de Mayo y Sarmiento, Guillermo se detuvo antes de entrar al edificio.

–Por favor, cuando seas el intendente de La Pampa Africana, no les dispares a los clientes –se burló como despedida.

Ramón lanzó una ruidosa carcajada que desconcertó a Guillermo; no solo no se ofendía, sino que se lo festejaba como una broma.

–Pero, ¿cómo sabías? ¿Te contó Helenita?

–No, no fue Helenita. Esas cosas se saben.

Tercera parte

44

Finalmente, Guillermo logró comprar la ansiada acción del Mercado de Valores que le permitiría independizarse de su tío Ezequiel y operar por su cuenta. No se trató del ascenso vertiginoso que había fantaseado en la impaciencia de sus comienzos, pero había llegado. A los treinta y un años, Guillermo poseía una fortuna personal de la cual hubiera podido vivir sin trabajar el resto de su vida. Pero, a pesar de su éxito en los negocios, estaba angustiado; todos los esfuerzos y zozobras carecerían de sentido si seguía sin animarse a abordar a Helenita.

Como no quería que su festejo consistiera en llevarse una bandeja a la cama y cenar solo delante del televisor, salió a comer con su madre a un restaurante de moda. La alegría desbordante de Celina contrastaba con el humor taciturno de Guillermo. Celina lo abrumaba con elogios que él recibía con una sonrisa desganada. Su madre le dijo que desde otra mesa lo observaban porque lo habían reconocido por la foto de la revista que lo había nombrado joven sobresaliente. Guillermo la escuchaba distraído, impaciente porque la cena terminara. La situación empeoró cuando Celina empezó a hablar de Mimi. Guillermo ya sabía lo que venía, alguna versión quejosa de la eterna preocupación de su madre: “Somos una familia muy chica, me gustaría tanto tener nietos”.

–¿Hace mucho que no ves a la yanqui? –le preguntó Celina–. Me cae simpática, tiene cara de conejita.

"De conejita de *Playboy*", sonrió Guillermo. "*I miss you*", se había despedido Mimi por teléfono cuando lo felicitó por la compra de la acción de la Bolsa. "*Miss Mimi misses me*", pensó Guillermo para sus adentros.

En el último viaje a Miami, Mimi lo había conmovido con su saber femenino. Adivinó que estaba mortalmente herido de amor por otra mujer; lo miró a los ojos y le acarició la mejilla con un gesto de compasión. Guillermo se preguntó si había hablado dormido. Mimi le dijo que sabía de quién estaba enamorado pero no se lo iba a decir. Guillermo supuso que Mimi había maliciado sus intenciones secretas al encomendarle el negocio de La Pampa Africana a Ramón que, según el mismo Guillermo, no calificaba para el puesto, y que de ahí había deducido su amor por Helenita. "No juegues más conmigo", le había dicho Mimi llorando; en español, para que la frase lo golpeara con contundencia.

A pesar de que Guillermo se había distanciado en forma preventiva, el vínculo con Mimi seguía creciendo: la extrañaba, soñaba con ella. Algunos sueños eran placenteros, Mimi lo acompañaba en distintas circunstancias y, por primera vez en su vida, Guillermo no se sentía solo. En otros sueños sufría; Mimi quedaba embarazada y lo llamaba afligida desde Miami. Mimi debilitaba su amor perpetuo por Helenita, Guillermo no podía permitirlo. No había consagrado su vida a la conquista de Helenita para dejar ahora la tarea inconclusa.

45

La felicidad de Ramón deprimía a Guillermo. La venganza había salido al revés de lo esperado: había terminado por hacerle un favor a su enemigo. Ramón estaba agradecido por la oportunidad que le había brindado de ser lo que quería ser, de vivir de su verdadera vocación. Además La Pampa Africana se desarrollaba más rápido de lo previsto. Guillermo se lamentaba de su buena suerte, "soy un maldito Midas". Ramón lo llamaba casi a diario para bombardearlo con ideas. Le enviaba por internet dibujos de logotipos alternativos, precios de camionetas Land Rover. Se había enterado de la quiebra de un circo venezolano que remataba a sus leones porque ya no podía alimentarlos. Calculaba la rentabilidad de la hotelería, el costo de los permisos de caza, las ganancias por pieza cobrada. Guillermo solía negarse a atenderlo pero la tenacidad de Ramón perforaba las defensas de sus secretarias. Había planeado el negocio para alejar a su rival y ahora Ramón lo importunaba más que nunca.

Harto de tantos padecimientos infructuosos, muy desanimado, Guillermo decidió encarar el asunto de manera directa. Llamó a Helenita y le dijo que precisaba su consejo para tomar una decisión trascendental. Quedaron en encontrarse en el Jardín Japonés. Se entretuvieron un rato en un estanque dándoles a los peces dorados el alimento compactado en pequeños cilindros que vendían en el vivero del Jardín. A Guillermo el alimento le recordaba las heces de conejo. Se cruzaron con varias muchachas vestidas de novia, el Jardín Japonés era uno de los sitios preferidos por los fotógrafos de bodas. Finalmente, se sentaron en un banco frente a un macizo de azaleas rojas y Guillermo le dijo que se iba a casar y que quería que Helenita conociera a su futura esposa y le dijera qué impresión le causaba. Al principio Helenita lo escuchaba tranquila, cuando Guillermo terminó la frase tenía palpitaciones.

–¿Así que te casás? –preguntó con la voz estrangulada por la tensión.

–Me caso –afirmó Guillermo muy serio.

–Con qué cara de velorio lo decís ¿Estás enamorado?

Guillermo se quedó en silencio. Sintió que si no hablaba ahora, tendría que suicidarse.

–Como estuve y estoy enamorado de vos, no.

En ese punto rompió a llorar. Helenita lo abrazó.

–¿Y por qué nunca me lo dijiste?

–Tenía miedo de que me rechazaras. No lo hubiera soportado –le dijo entre lágrimas–. Además no me sentía merecedor de vos.

–¿Por qué?

–No tenía plata.

Helenita lanzó una carcajada ruidosa que no sonó del todo sincera.

–Ahora tenés plata.

46

Mientras se duchaba, Guillermo recordó que durante la llamada él le había dicho: "Siento tu perfume en el teléfono". Había oído a Helenita sonreír complacida como si se tratara de un piropo, pero era cierto; desde el encuentro en el Jardín Japonés, su nariz había vuelto a quedar inundada por el olor a leche condensada de su amada. De pronto, se dio cuenta de que le había entrado agua en el reloj, el vidrio estaba empañado. Era el viejo Rolex de su padre. "Se debe de haber resecado la goma de la corona", se dijo con tristeza. Pensaba llevarlo como amuleto, esa noche necesitaría toda la suerte posible. "Si el Rolex se descompone es que las cosas pintan mal", se mortificó Guillermo.

Helenita vivía en un edificio antiguo y suntuoso en la zona de Retiro. En el ascensor, Guillermo lamentó llegar con las manos vacías; hubiera deseado que lo precediera algún regalo fabuloso, como los presentes de buena voluntad que enviaban los dignatarios en los cuentos orientales; por ejemplo, el peso de Helenita en oro y piedras preciosas. Su amada lo esperaba con la puerta abierta; tenía puestos unos *jeans* y una blusa blanca de seda.

Guillermo nunca había estado en la casa de Ramón y Helenita. El techo del *living* se alzaba al triple de la altura normal, parecía la nave de una iglesia. En las paredes alternaban esculturas africanas de ébano –mujeres negras de labios abultados y pechos puntiagudos–, con cabezas de animales embalsamados. Un león de barba y melena parduscas los acechaba entre dos delgados ventanales góticos; había cebras, antílopes y, por encima de ese conjunto selvático, sobresalía una incongruente cabeza de jirafa. Guillermo nunca había visto una jirafa embalsamada, ni siquiera en las películas. Al observarla entendió el motivo: alzada en el extremo de un cuello largo como un tubo, la jirafa resultaba inexplicablemente obscena.

–Un rincón de África en casa –dijo Helenita con fastidio–, pronto voy a tirar toda esta basura a la mierda, en un dos ambientes no me va a entrar. No hay mal que por bien no venga. A lo mejor hago una feria americana de cosas africanas.

–Es un lugar muy lindo –comentó Guillermo abstraído–. ¿Todos estos animales los cazó Ramón?

–Es lo que él dice.

En el hogar ardía un fuego de leños de quebracho. Guillermo se sumió en la contemplación hipnótica de las llamas. Se sintió melancólico, habían perdido tantos años...

–¿Qué querés tomar? –dijo Helenita interrumpiendo sus cavilaciones con cierta brusquedad–. Te puedo ofrecer cognac, whisky, tequila.

–Lo que vos tomes.

Se sentaron en un sofá, Helenita trajo una botella de cognac. Sirvió una copa y la colocó en un aparatito compuesto por un soporte de metal rematado en una horquilla, con un mechero de alcohol debajo; hizo girar la copa sobre el fuego tomándola por la base. De repente, el cognac se encendió, Helenita tuvo un pequeño sobresalto y sacó la copa de la horquilla; antes de que pudiera detenerlo, Guillermo intentó apagarla; apoyó la palma sobre el borde recalentado de la copa, en la cual bailoteaba una ligera llama azul. No pudo quitar la mano. El fuego consumió el aire y produjo efecto de vacío; su frente se cubrió de transpiración, pero por vergüenza trató de ocultar el dolor. Al fin, cuando pudo retirarla, tenía una quemadura circular en la palma. Helenita le tomó la mano, se la mojó con saliva y comenzó a soplársela.

–Esperá que te voy a traer hielo.

–Dejá, no es nada –dijo Guillermo, todavía sorprendido de que su amada le hubiera pasado la lengua por la mano.

–Vos soplate –le ordenó Helenita–. Habló el macho argentino –mascullló, mientras se dirigía a la cocina.

Helenita regresó con unos cubitos de hielo dentro de una bolsa de nailon y se la aplicó con suavidad sobre la quemadura. Guillermo deseó ardientemente entrelazar sus dedos con los de su amada. Con el primer trago de cognac, sintió una nueva punzada de nostalgia: tiempo atrás habían paseado abrazados por Pinamar.

–Ramón se hubiera burlado de tu quemadura toda la noche –dijo Helenita–. ¿Sabés cuál es su chiste preferido? Uno muy breve y muy sádico: "No, por favor *Bwana*, no". Cada vez que lo cuenta se mata de risa.

Aunque no estaba seguro de haberlo entendido, Guillermo sonrió.

–Me voy a divorciar –anunció Helenita con solemnidad–. Como te habrás dado cuenta, mi matrimonio fue un desastre. Cada vez que Izarreta salía de caza me decía: "Es por negocios, nena. La aventura une a los hombres" –dijo Helenita, imitando la voz grave de Ramón–. Para él sería como la amistad de trincheras, todos muy íntimos, excepto que el enemigo era el ciervo colorado.

–Nunca pude entender por qué te casaste con él.

–Al principio me gustaba. No sé, necesitaba seguridad; fue un error. Qué sabe una a los veinte. En esa época pensaba: ¿Se puede decir que amamos a alguien cuando, en verdad, siempre lo amamos por algo? ¿Cómo podemos estar seguras de que amamos, si todo el tiempo estamos esperando algún tipo de beneficio: sexo, dinero, protección? Entonces todo da igual. No sé por qué era tan cínica; ahora es distinto, me gustaría vivir un amor libre de intereses, inexplicable, misterioso.

Se quedaron en silencio. A Guillermo lo atormentaba el suspenso: ¿se enamoraría por fin Helenita de él? Evitó mirarla, temió que su amada descubriera una expresión de ruego en sus ojos. De todos modos, ella captó lo que Guillermo intentaba ocultarle. Volvió a sentir esa perseverancia perruna que la alejaba de él, que la amara tanto la aburría. Helenita se incorporó.

–¿Querés tomar alguna otra cosa?

–Bueno, ¿qué hay?

Helenita desapareció por una puerta, un momento más tarde Guillermo la siguió. Atravesó un curioso pasillo en zigzag que desembocaba en la cocina. Helenita estaba parada delante de la heladera. A Guillermo no le asombró ver una multitud de gelatinas naranjas, rojas y verdes, alineadas en la luz blanca de la heladera. "Lógico, vive de gelatina dietética y agua mineral", pensó. "Como un colibrí, liba gelatina y agua. Debe tener el paladar tan sensible que puede distinguir las distintas marcas de agua mineral por su sabor".

–Suerte que viniste –Helenita sostenía una botella de vino blanco en la mano, le señaló un mueble–. Ya que estás, alcanzame las copas.

De pronto, una cucaracha brotó de la pileta y emprendió una loca carrera por la mesada de mármol; Helenita la aplastó de un manotazo. Luego se enjuagó las manos con negligencia debajo del delgado chorro de la canilla. Guillermo la miró asqueado, pensó que con esas manos su amada lo tocaría más tarde.

–Era una cucaracha chiquita –se justificó Helenita–. ¿Sabías que las llaman cucarachas rubias? Acá la única rubia soy yo.

Regresaron al *living*, Guillermo descorchó la botella. Mientras bebían, Helenita lo miraba sonriendo. De pronto, se levantó del sofá donde estaban sentados y caminó unos pasos sin rumbo aparente. A Guillermo le pareció que estaba nerviosa. "Los dos estamos nerviosos", reflexionó: "viejos conocidos en una situación desconocida".

–¿Querés que ponga música?

Helenita fue hasta el equipo de audio y se entretuvo revisando los CD.

–Es Chet Baker.

La música era tierna y perezosa, un hombre cantaba con voz femenina entre solos de trompeta. Guillermo le propuso bailar.

Se balanceaban casi sin moverse del lugar, él sintió que bailaban como si lo hubieran hecho toda la vida; le pareció un signo de que se llevarían bien en la cama. "Juntos de nuevo por primera vez", le susurró Helenita al oído. Guillermo se apartó un poco, la miró a la cara y la besó. Continuaron besándose y abrazándose con voracidad, cada vez más excitados. Se tendieron en el sofá. Guillermo le sacó la blusa y comenzó a besarle el cuello y los hombros. Ahora ella respondía con caricias distraídas. Cuando intentó desabrocharle el corpiño, Helenita se inclinó bruscamente hacia adelante hasta alcanzar su copa de vino. A Guillermo le resultó penoso dejar de tocarla; dominadas por la inercia del deseo, sus manos tardaron en detenerse.

–¿Querés? –dijo Helenita, señalando la copa de Guillermo sobre la mesa baja.

Él se peinó con los dedos, estaba acalorado, bebió el vino de un trago y llenó las copas nuevamente. Helenita abrazó un almohadón contra su pecho y, con la barbilla apoyada en el borde, le dijo con una sonrisa:

–Acá no me gusta.

–Vamos al dormitorio.

Abrazó a Helenita por el hombro y, mareados por el alcohol, subieron con esfuerzo una larga escalera. Volvieron a besarse y acariciarse parados al borde de la cama, se desnudaron uno al otro en la oscuridad atenuada por la luz proveniente del *living*. Guillermo no había traído preservativos, no había previsto que terminarían en la cama esa misma noche. Helenita prendió el velador y sacó un sobrecito del cajón de la mesita de luz, la rapidez con que su amada halló los preservativos le provocó un ataque de celos. Guillermo dedujo que Helenita engañaba a Ramón de manera sistemática, la insaciable Helenita atendía a una larga lista de amantes entre los cuales él solamente era uno más. De rodillas sobre la cama, ante las piernas abiertas de su amada, Guillermo se sintió herido y enojado. Intentó ponerse el preservativo. Mientras trataba de descifrar al tacto cuál era el derecho y cuál el revés, y empezaba a estirar el látex para ajustarlo a la cabeza de su miembro, fue notando con angustia creciente cómo su sexo se ablandaba y perdía la erección por completo.

Se quedó de rodillas, totalmente confundido. Helenita trató de revivirlo con la lengua y las manos, pero de nada valieron las maniobras de resucitación. Entonces lo abrazó y le dijo que se acostara al lado de ella. Pero Guillermo estaba demasiado alterado como para acostarse. Empezó a justificarse. Aseguró que nunca en su vida le había ocurrido; le echó la culpa al alcohol, al estrés, a lo inesperado del encuentro. Helenita procuraba calmarlo, pero no mejoraba la situación porque, detrás del tono de consuelo, Guillermo creía adivinar el disgusto de su amada: nunca se podría perdonar haberla defraudado. Cuando ya no pudo soportar la tensión, saltó de la cama y se metió en el baño.

Se quedó estudiando su miembro con ojos críticos. Lamentó que no hablara, habría querido preguntarle qué le pasaba. "¿Justo con ella me tenías que fallar?" Intentó despertarlo con los procedimientos manuales a las cuales estaba tan acostumbrado. Esperaba que a solas, libre de la presencia intimidatoria de Helenita, su sexo se comportara de un modo más sensato, pero se obstinó en permanecer en reposo. Guillermo pensó que su pene siempre hacía lo que se le daba la gana. Se sentó sobre la tapa del inodoro, observó la marca roja de la quemadura en la mano. "Hoy es un mal día", se dijo meneando la cabeza, "tenía que haber interpretado las señales de advertencia: primero el reloj, después la quemadura, ahora esto". Sintió ganas de llorar, pero las lágrimas no acudían a sus ojos. "Mierda, ni siquiera puedo llorar". Le echó una maldición a su pene: "No vas a descansar hasta satisfacerla del todo".

Al rato, Helenita golpeó la puerta del baño, recién logró que le abriera luego de insistir con mucha energía. Regresaron a la cama. Helenita le pidió que la abrazara; "tengo frío en la espalda". Guillermo la atrajo hacia él. "No es grave, es un accidente, si siempre respondiste bien no tenés porqué preocuparte", lo consolaba Helenita. "A veces estos episodios se deben a que el hombre está muy enamorado y se toma a la mujer demasiado en serio". Guillermo no entendía la lógica con la que Helenita vinculaba el amor con la impotencia.

Sin detenerse a medir las consecuencias, se atrevió a sincerarse: le confesó que cuando ella le dio el profiláctico tuvo un ataque de celos, supuso que tenía muchos amantes. Helenita se indignó. "Pero, ¿por quién me tomaste? Los forros los uso con Ramón, no confío en mi marido. África es el lugar con más sida del mundo". Guillermo no sabía cómo disculparse. Comenzó a reprocharse, a insultarse por su precipitación. Aunque Helenita intentaba apaciguarlo y le decía que cualquiera lo hubiera interpretado de ese modo, Guillermo seguía desconsolado. De pronto se incorporó, ya no soportaba permanecer en la cama. "Basta", le ordenó Helenita. "¿No te vas a meter en el baño de nuevo, no?", le dijo riéndose. Guillermo también sonrió y se aflojó un poco, pero sobre todo se tranquilizó cuando Helenita le dijo que ya habría otras ocasiones de hacer el amor. Aunque le costaba creer que su amada le daría otra oportunidad, la promesa logró calmarlo a medias. De todas maneras, Guillermo no pudo quedarse; sentía que la fastidiaba, que el encuentro de esa noche había concluido.

–Me voy a casa –anunció.

Helenita no intentó retenerlo, se ofreció a acompañarlo. Cuando Guillermo le pidió que no se molestara, Helenita le explicó que la puerta del edificio estaba cerrada con llave.

Helenita se puso un tapado de piel directamente sobre el cuerpo desnudo. Cuando llegaron al hall de entrada, Guillermo la abrazó; la suavidad del visón contra sus mejillas lo embriagó de placer.

Con la llave en la mano, antes de despedirse, Helenita se abrió el tapado.

–¿Qué tal, eh?

Guillermo lanzó una carcajada.

–Estás hermosa.

Helenita empezó a pasearse, sosteniendo el tapado abierto con las dos manos como una modelo en un desfile. Guillermo sonreía.

–¿Te gusta?

–Me encanta. Estás preciosa. Ahora cerrátelo que te van a ver los vecinos.

–¿Qué vecinos? Si son como las seis de la mañana.

Helenita siguió moviéndose, canturreando y esquivando a Guillermo. Cuando logró atraparla, metió las manos por debajo del tapado, sobre la piel, y se quedó abrazado a ella.

–Hmm…veo que te curaste –dijo Helenita.

–Ahora podríamos subir y terminar lo que empezamos.

–No señor, es tarde, tenemos que dormir.

Guillermo no insistió. La claridad del amanecer comenzaba a iluminar la calle.

–¿Sabés lo que me gustaría? –dijo Helenita–. No, mejor no, es muy infantil –se arrepintió.

–¿Qué? Por favor, no me dejes con la intriga.

–Siempre me quedé con ganas de ver el Rayo verde.

Guillermo la miró sorprendido. Le pareció percibir un matiz de ruego en la voz de su amada.

–Es una estupidez, ya lo sé –se anticipó Helenita a la defensiva.

–No, me encantaría verlo con vos –reaccionó Guillermo con miedo de que Helenita se echara atrás.

–Pero, ¿no es demasiado infantil? No sé por qué se me ocurrió.

–No, puede ser divertido. Esta vez lo vamos a ver, estoy seguro –dijo Guillermo, aferrado con desesperación a una nueva última oportunidad.

–Bueno, ahora andate –dijo Helenita. Le dio un beso en los labios y le asestó un brusco golpe de caderas como una odalisca–. Esperá, quedate con la llave.

Guillermo la recibió boquiabierto.

–Sí, quedátela –tuvo que insistir Helenita ante la cara de incredulidad de Guillermo.

Al salir del edificio, Guillermo miró hacia atrás y la observó a través del vidrio de la puerta como adentro de una pecera. A modo de despedida, Helenita se abrió nuevamente el tapado con un gesto de exhibicionista. Guillermo deseó arrodillarse, abrazarla por la cintura y descansar su cabeza contra el pubis de su amada. En el auto lo asaltó el recuerdo de su impotencia. "Tantos años esperando este momento", se reprochó con rabia. El frío del volante le fue calmando el ardor de la mano quemada, y un plan renovó sus esperanzas y lo rescató de la frustración de esa noche. Sonrió para sí: si Helenita quería ver el Rayo verde, vería el Rayo verde. Comparada con todas las cosas que había hecho para conquistarla esta sería muy fácil.

47

Guillermo buscó en las páginas amarillas de la guía una casa de alquiler de equipos de filmación. Allí le explicaron que para provocar el efecto que les describía necesitaba un reflector de por lo menos seis kilovatios, podía alimentarlo con un generador de nafta portátil. El alquiler de ambos elementos costaba seiscientos pesos por día. A continuación llamó a su amigo Ibáñez, dueño de un velero de treinta y dos pies de eslora. Ibáñez protestó, pensó que tendría que despertarse a la madrugada, y todo el asunto le parecía una estúpida broma escolar. Finalmente aceptó sin demasiado entusiasmo. "Supongo que los equipos deben ser bastante pesados", le dijo Guillermo, "vamos a necesitar un hombre extra para cargarlos". "No hay problema", le respondió su amigo, "tengo un marinero que duerme en el barco". Guillermo meditó mucho acerca de cuál sería el mejor lugar para situar el bote. De costado no se divisaría desde tierra, pero la luz no parecería provenir del sol; decidió colocar el bote de frente, aunque se exponía a que se recortara contra el disco solar, el efecto sería más verosímil.

Redactó laboriosamente una invitación para ver el Rayo verde. La escribió en una de sus tarjetas. No quedó conforme con la letra hasta la sexta versión. Perfumó la tarjeta con agua de rosas que le robó a su madre, una fragancia antigua que Celina usaba para perfumar la ensalada de frutas. Le envió la invitación junto con un ramo de rosas. Helenita lo llamó al día siguiente.

–Te lo tomaste en serio.

–*Noblesse oblige* –contestó Guillermo ampuloso.

–*Per aspera ad astra* –le replicó Helenita, leyendo la máxima del paquete de cigarrillos que tenía en la mano.

Acordaron que Guillermo pasaría a buscarla el sábado a las seis y media de la mañana.

–¡Qué madrugón! –protestó Helenita.

–Todo sea por el amor. Amanece a las siete y cinco.

La charla con Helenita lo decepcionó. No alentaba la esperanza de que, al minuto de leer la tarjeta, Helenita lo llamara y le susurrara esas palabras dulces que conforman el idioma natural de los enamorados, pero aún así la sintió distante. Con ella le costaba eludir ciertos temas, en particular el de su madre, Helenita se burlaba de él. En una ocasión, cuando Guillermo le dijo: "yo soy solo" –refiriéndose a que no tenía pareja–, Helenita le respondió: "sí, solo de tu mamá". Más prudente que romántica, Helenita quemó la tarjeta; prefirió no dejar pruebas a disposición de Ramón.

A las cinco de la tarde del viernes, Guillermo fue a retirar los equipos. "Le pusimos gelatina verde, como nos pidió", le dijo un empleado vestido de guardapolvo gris. Guillermo pagó por adelantado y tuvo que dejar un documento de identidad en depósito. Recién a las seis y media, exasperado por el tránsito de los viernes, consiguió llegar con un flete al club de San Isidro donde Ibáñez tenía la amarra de su velero. Efectivamente, los equipos eran pesados. Ibáñez observó con un vaso de whisky en la mano cómo Guillermo y el marinero los descargaban y acomodaban directamente en el bote salvavidas. Convinieron con el marinero que anclaría el bote a doce kilómetros de la costa, en el límite de visibilidad, a la altura del Aeroparque. Guillermo regresó a su casa y se metió en la cama. Prendió el televisor en el canal meteorológico y se quedó mirando el pronóstico del tiempo. Para observar el Rayo verde, el cielo debía estar completamente despejado. Recordó que Helenita se refería al Rayo verde como una experiencia cósmica, una energía soberana, ajena al orden humano. A Guillermo lo atemorizó el severo castigo que recibiría por falsificar una señal de los dioses. No pudo dormir en toda la noche.

48

–Hace frío –se quejó Helenita al entrar al auto. Solo le dio un beso en la mejilla. Guillermo la abrazó y estuvo frotándole la espalda un largo rato.

Mientras el auto marchaba por la avenida Figueroa Alcorta, camino a la Costanera, Helenita pensaba que nunca había estado verdaderamente enamorada. Se había casado con Ramón no del todo convencida; por lo menos esa era la versión oficial, la que empleaba para sí misma.

"Hablar de amor con un hombre es como tratar de enseñarle a leer a un mono", se quejaba una amiga. "Los hombres no entienden nada del amor. Cuando te dan la razón ya es demasiado tarde; siempre andan rezagados, y las parejas caminan al paso del más lento". Helenita no se sentía tan autorizada para opinar sobre el amor como su amiga. El Rayo verde le parecía una superstición inocente, ya no creía, como cuando recién había regresado de Escocia, que fuera un juicio infalible que certificaba la existencia del amor; pero todavía le atribuía cierto valor de verdad que la hacía vacilar entre la curiosidad y el miedo al ridículo. De todos modos suponía que no corría peligro de quedar unida a Guillermo, dudaba de que el Rayo verde se presentara ante ellos.

Llegaron temprano, bajaron del auto y se acodaron sobre el pretil de hormigón, entre pescadores somnolientos que se sostenían apuntalados por sus propias cañas, tiritando de frío, con las narices rojas y mojadas. Todavía era de noche, se quedaron mirando el río. Guillermo estaba preocupado. ¿Habría entendido el marinero que debía prender el reflector un instante y una sola vez? ¿Emitir un guiño breve y único, como él le había explicado? ¿Se vería la luz desde esta distancia? Lo tranquilizaba notar que no había ni una sola nube. Mientras a Guillermo lo inquietaban las posibles fallas técnicas, Helenita trataba de comprender quién era este hombre que volvía a cruzarse en su vida. ¿Admirarían abrazados *Le Rayon Vert*? ¿Valdría esta experiencia como garantía de algo? ¿O sería el amor, como el mismo rayo, un resplandor fugaz? "Lástima que el amor entre por los ojos", se lamentaba Helenita; "los ojos son el sitio de la hipnosis".

A las siete comenzó a aclarar, las aguas nocturnas se tornaron grises. Los minutos transcurrían lentamente. Guillermo estaba pendiente de Helenita; la miraba a ella en lugar de vigilar el horizonte donde, de un momento a otro, ascendería el sol.

–Si me mirás tanto te lo vas a perder. Vení, abrazame.

De repente, con el primer fulgor del sol, una onda líquida de luz verde se extendió plana sobre la superficie del agua y se contrajo en un punto color esmeralda. Duró un segundo y los dejó ciegos de asombro.

–¿Lo viste? –preguntó Guillermo agitado.

Ella tardó en responder.

–Sí, lo vi –contesto por fin.

Caminaron abrazados hasta el auto y se sentaron en silencio, demasiado maravillados como para hablar. Guillermo no podía creer que hubiera realizado esta especie de milagro. Estaba orgulloso de sí mismo, enamorado de su golpe de efecto cinematográfico. Pero, sobre todo, impresionado por la reacción de Helenita, nunca antes había logrado emocionarla tanto. "Entonces, era cierto", se decía

Helenita con los ojos húmedos de llanto, "el Rayo verde existe". Pensó que había tenido mucha suerte, no todos los hombres eran tan perseverantes como Guillermo. Se inclinó sobre él y lo besó en la boca. Su casamiento, su vida con Ramón, todo quedaba sancionado como un error de juventud frente a esta revelación.

Corrieron los asientos del auto hacia atrás para poder besarse con mayor comodidad. Helenita se agachó y trató de desprenderle el cinturón, él la ayudó. "Apurate, antes de que se haga de día del todo", lo urgió Helenita, mientras se levantaba la pollera. Se sentó a horcajadas sobre el hombre y empezó a mecerse con violencia. Guillermo la sostuvo por las caderas y la espalda, tratando de impedir que Helenita se recostara sobre el volante e hiciera sonar la bocina. Entretanto, observó con inquietud con qué rapidez se habían empañado los vidrios del auto, ocultándolos de los curiosos y, a la vez, delatándolos ante cualquiera que supiera deducir lo que estaba ocurriendo allí adentro. Mientras Guillermo la acariciaba y la besaba en las mejillas y los párpados, ella se repetía mentalmente: "¿Quiénes somos? ¿Quiénes somos nosotros?" Continuaron con ese galope desenfrenado hasta que los rayos crudos –y verdaderos– del sol matinal atravesaron el parabrisas. "Mejor seguimos en otra parte", dijo Helenita y regresó a su asiento. Se arreglaron la ropa. Helenita bajó la ventanilla para que los vidrios se desempañaran y se quedó mirando el río.

Guillermo le propuso ir a desayunar. Mientras se dirigían al bar de Corrientes y Uruguay que Helenita había elegido, iban tomados de la mano, de forma tal que Guillermo tenía que manejar y hacer los cambios con la mano izquierda. Helenita notó que todavía conservaba la erección, le soltó la mano y se la apoyó sobre el pene. "Te ayudo con los cambios", le dijo risueña, sujetando el miembro con firmeza e imitando los movimientos de Guillermo.

Se sentaron en una mesa cerca de una ventana. Ordenaron café con leche y medialunas. Recuperada de la conmoción, Helenita le dijo con una sonrisa:

–Lástima que no invitamos a tu amigo.

–¿Qué amigo?

–El del bote.

Guillermo logró mantenerse impasible.

–¿De qué estás hablando?

–Es sencillo, el Rayo verde no puede existir, así que alguien tuvo que fabricarlo, y yo no fui –dijo, mordiendo una medialuna–. La verdad, no sé cómo lo hiciste, pero fue tal cual me lo vengo imaginando desde chica.

Guillermo no le contestó, decidió refugiarse en el único recurso que conocía para estas emergencias: callarse la boca. No podía pensar, con gran esfuerzo consiguió componer una expresión de enamorado ofendido.

–Qué ganas de arruinar todo tenés –le reprochó con tono teatral.

–No, no me entendés, me pareció fantástico que lo hicieras. Fue como una escena de película. Para mí vale más tu trabajo de producción que la existencia del Rayo verde.

–Pero, ¿de qué me estás hablando?

–Usaron un bote, ¿no? No se me ocurre otra manera, a menos que fuera un submarino. No sé, quizá tenés contactos en la Armada.

–¿Había un bote?

–Ves, como actor no sos tan bueno, lo tuyo es la producción.

Mientras decía esto, Helenita le tomó la mano por encima de la mesa. Guillermo se fue recuperando. Empezó a sonreírle.

–Te volvió el alma al cuerpo –dijo Helenita.

Guillermo continuaba con una sonrisa en los labios, la sonrisa se transformó en carcajada.

–Sos genial... casi me la creo.

Helenita no se reía.

–Te lo dije en serio. La que casi se la cree soy yo. Las cosas mágicas no existen, lo tenés que haber inventado vos.

–Lo lamento, no inventé nada.

–Bueno, no importa; me quedaré con la duda. Pero decime, ¿por qué me esperaste tantos años? –Helenita no pudo evitar que su voz trasluciera un ligero matiz de ansiedad.

Guillermo hubiera querido contestarle en serio, pero le pareció más seguro el tono de farsa.

–Porque tus padres me pagaron. Tu mamá siempre me llamaba, hace un par de semanas me hizo una oferta concreta, por supuesto al principio la rechacé. "Dele señor Guillermo, nosotros sabemos que la chica es un poquito malcriada, pero tiene buen corazón". Me encantaría señora, pero no puedo. "Vamos, sea bueno señor Guillermo", me rogaba tu mamá. "Mire que su hija es medio rebelde". "Si ya lo sé, siempre fue un poco desobediente, a mí nunca me hizo caso. El padre dice que le hubieran venido bien un par de cachetadas a tiempo, pero vio cómo son los padres con las hijas". Tu mamá insistió tanto que al final tuve que aceptar. Alquilé el bote, le pusimos un reflector de cine y, bueno, el resto ya lo conocés.

Mientras hablaba, Guillermo percibía en un segundo plano su miembro rígido debajo de la mesa. Sentía oscuramente que su pene quieto y duro los acechaba como un enemigo agazapado.

Helenita sonreía.

–"Señor Guillermo", ¿de dónde lo sacaste?

–Tu madre es una señora muy respetuosa, nunca me tutea. Vino a casa a traerme un adelanto. Estas producciones cuestan caras.

–Ah, entonces lo del bote era cierto.

–Por supuesto. Tu mamá me advirtió: "Hágale los gustos señor Guillermo, dele lo que le pida; con Helenita es la única manera.

Pero tenga cuidado que la chica no tiene límites; hoy quiere el Rayo verde, mañana una rosa negra y pasado que le baje la Luna".

–Una rosa negra… Qué romántico. ¿Me vas a regalar una?

–Mirá que si te la regalo te vas a asustar –dijo Guillermo.

–No importa.

–Hecho.

Helenita le apretó la mano y lo miró con cara de perplejidad.

–Guillermo, ¿en serio vimos el Rayo verde?

–Parece que sí.

–¿Seguro que no pusiste un reflector?

–Te doy mi palabra.

49

Regresaron a la casa de Helenita. En el ascensor, ella notó la sostenida presión del pene de Guillermo contra la tela del pantalón. "Siempre listo", dijo dándole palmaditas en la cabeza como a un perro fiel. "Vos sí que no tenés término medio, o todo o nada". Apenas traspusieron la puerta del departamento, Helenita le abrió la bragueta, lo agarró del miembro y, muerta de risa, lo remolcó a los tirones hasta el dormitorio. Se zambulleron en la cama. En esta ocasión, Guillermo se puso el preservativo sin ningún problema. Helenita pronto alcanzó el orgasmo y volvió a acabar varias veces más. Cuando Guillermo sentía que su amada se acercaba al clímax lo invadía una felicidad absoluta. Después de un largo rato, comenzó a llamarle la atención que él mismo no acabara. Aceleraba el ritmo de sus movimientos hasta que la excitación acumulada le resultaba molesta pero, aunque en algunas oportunidades sentía que estaba a punto de eyacular, siempre faltaba un último estímulo y el orgasmo pasaba de largo. La situación lo desconcertaba, hasta ahora en general había tenido que retener su goce, nunca había estado desesperado por terminar. Siguieron intentándolo hasta que Helenita le apoyó las manos sobre el pecho y lo apartó suavemente.

–¿Descansamos un poquito?

Se quedaron dormidos. Cerca del mediodía Helenita se despertó sobresaltada, ese sábado había prometido almorzar en la casa de sus padres. Acompañó a Guillermo hasta la puerta.

–¿Te quedaste con ganas? –preguntó Helenita señalando con la mirada el bulto del sexo de Guillermo.

–No –dijo Guillermo desorientado–, pero por algún motivo no quiere aflojar.

Les resultaba difícil separarse. Entre beso y beso, Guillermo la contemplaba embelesado. "¿Cómo puede ser tan hermosa?", se preguntaba. Mientras la abrazaba, su mirada se topó con la estrafalaria jirafa que dominaba el *living* desde las alturas: parecía la cabeza de un degollado en el extremo de una pica.

50

Esa tarde Guillermo no logró que su pene volviera al estado de reposo. Intentó masturbarse, pero no consiguió nada; frotarse la piel entumecida por tanto rozamiento previo le provocaba una sensación rara y desagradable. La ducha fría demostró ser igualmente ineficaz. La soportó todo el tiempo que pudo; salió tiritando y con el miembro duro y helado como una piedra batida por el mar. Incluso trató de provocarse el vómito, pensó que un estímulo violento conmovería todo su cuerpo y lo forzaría a entrar en razones. Fue inútil. "Algún mecanismo se atascó allí abajo. Soy un hombre común con un problema enorme", intentó bromear consigo mismo.

Tuvo que faltar al torneo de tenis que jugaba los sábados. No podía caminar por la calle en estas condiciones, a menos que ocultara su sexo bajo el sobretodo. Trató de distraerse. Se acostó a mirar televisión; confió en que mágicamente su pene se daría cuenta de que la función había acabado y que, aburrido, se retiraría a descansar. A las dos de la tarde se lo estudió nuevamente. Continuaba erecto, cada vez más frío y oscuro, y la tensión se había convertido en una molestia dolorosa. Comprendió que le sucedía algo grave. "Estoy perdiendo el tiempo como un idiota", se alarmó. Para meter su pene dentro de los calzoncillos le bajó la cabeza con el ademán de los policías de las películas cuando meten a un detenido esposado dentro del auto patrulla. Consultó la cartilla médica y con gran pesar –pero a toda velocidad– se dirigió a un sanatorio que contaba con un urólogo de guardia.

El urólogo era un hombre maduro y desaliñado, que de inmediato le despertó recelo. "Debe ser un médico fracasado para estar de guardia un sábado", conjeturó Guillermo. El urólogo le indicó que se sentara en la camilla y se desabrochara el pantalón. Al verlo, enarcó súbitamente las cejas y comenzó a pasarse el filo de la uña del pulgar por la barbilla mal afeitada. Se puso unos guantes de látex y sujetó el pene con familiaridad.

–Hmmm... está muy frío. Suerte que vino, un par de horas más y se le moría –dijo dramáticamente y, para darle mayor énfasis a sus palabras, golpeó con el dorso de la mano derecha sobre la palma de la izquierda, doblando la muñeca con un gesto teatral, como si sobre su mano hubiera caído la pequeña cabeza muerta de un ganso.

Le hizo una serie de preguntas: desde qué hora estaba en erección, si le habían inyectado en el pene alguna droga contra la impotencia, le nombró la diabetes y la leucemia. A medida que contestaba, el susto de Guillermo iba en aumento; no tanto por las enfermedades famosas y temibles que el médico mencionaba, sino por la visión de los centelleantes instrumentos quirúrgicos que equipaban el consultorio. El interrogatorio fue muy breve.

–Le voy a dar una inyección para ver si logramos reducir la congestión –dijo el urólogo–. Si el medicamento falla, le voy a tener que extraer la sangre con una jeringa y una aguja de gran calibre. –Mientras buscaba las ampollas, agregó en tono jocoso–: El trabajo no siempre es salud. A este haragán hay que hacerlo trabajar lo menos posible. Los pulmones y el corazón funcionan todo el tiempo, el cerebro piensa hasta cuando duerme, pero el "Dispositivo hidráulico", como lo llama uno de mis colegas, no hace nada en todo el día –dijo con un ademán de desprecio tan vehemente que

Guillermo creyó que le daría un papirotazo en el pene–, la orina lo atraviesa pasivamente, no está hecho para realizar esfuerzos.

Entretanto, Guillermo sentía que estaba a punto de desmayarse. Cuando el médico se le acercó con la jeringa –que para Guillermo había adquirido el tamaño de un inflador de bicicleta–, le preguntó con voz temblorosa:

–¿No me va a dar anestesia?

–No, sería contraproducente. Además, para eso también tendría que pincharlo. Vamos, si son unos pinchacitos de nada –lo animó el médico y, dando por concluida la conversación, ya se disponía a tomar el pene con la mano libre, cuando Guillermo lo detuvo. Siempre le había tenido pánico a las inyecciones, que además se la aplicaran justamente ahí era más de lo que podía soportar; la transpiración fría le empapaba todo el cuerpo, sus manos empalidecían.

–Entonces usted dice que si la medicación fracasa me va a tener que extraer...

En ese punto se interrumpió: su pene se encogía de miedo; lentamente perdía presión y comenzaba a ablandarse, pasaba del morado oscuro al púrpura vinoso. El urólogo y Guillermo lo observaron reducirse, decaer, hasta quedar convertido en una masa de carne lívida como un hongo. Guillermo sintió el mismo alivio que causa meter un dedo quemado en agua fría. Le preguntó al médico dónde había un baño, hacía varias horas que no podía orinar.

–El miedo no es zonzo –dijo el urólogo cuando Guillermo regresó del baño.

–¿Me curó el miedo?

–Sí. Cuando un animal está asustado los mecanismos sexuales se desactivan, no es momento para la reproducción, necesita toda su sangre para el ataque o la fuga. El miedo le debe haber provocado una brutal descarga de adrenalina. Hágase estos análisis y venga a verme con los resultados.

Guillermo guardó la orden con descuido en un bolsillo del sobretodo. El médico captó su actitud.

–Mire, como no creo que usted quiera venir a verme nunca más, le recomiendo que si le ocurre de nuevo tome aspirinas, corra para que la sangre circule y trate de eyacular.

–¿Me puede volver a pasar? –preguntó Guillermo horrorizado.

–Es lo más probable. Usted tiene priapismo.

De regreso de la consulta con el urólogo, Guillermo se acostó en la cama muy abatido. Entendió que estaba prisionero de una situación desgraciada: no pensaba renunciar a Helenita por nada del mundo, pero tampoco podía permitirse padecer una enfermedad tan grave.

Se durmió imaginando métodos para provocarse ataques de miedo. Se le ocurrió que podía emplear a alguien que lo asustara, una especie de antiguardaespaldas iracundo e imprevisible que lo agrediera sin aviso. Apenas esbozada, la idea le pareció un disparate. Planeó pasear de noche por barrios peligrosos, apostar locamente en la Bolsa, correr de contramano por alguna ruta. Descartó estas ideas una tras otra. Bebió mucho líquido y se levantó varias veces para ir al baño; le provocaba un gran placer poder orinar de nuevo. Esa tarde, Guillermo extrañó a Helenita con la misma congoja y desasosiego con que extrañaba a sus padres cuando se iban de viaje y lo dejaban solo con sus tías. Al oscurecer se quedó dormido.

51

A las diez y media de la noche Helenita lo llamó por teléfono. Se quejó de que él no la hubiera llamado.

–Pájaro que comió, voló. Te sacaste las ganas y ya no te intereso más –le reprochó entre ofendida y mimosa.

Guillermo se despertó agitado, sabía que algo andaba mal. Recordó que no había devuelto el reflector, ya era tarde para ir a buscarlo al barco de Ibáñez. Tendría que esperar hasta el lunes y pagar dos días más de alquiler. Detestaba tirar el dinero, pero no era eso; de pronto cruzó por su mente la imagen terrorífica de la visita al urólogo. Helenita le estaba diciendo que les había contado a sus padres que se habían encontrado.

–A mamá siempre le gustaste. Hoy me decía: "Es un muchacho tan responsable..." ¿Sabías que todavía guarda los recortes de la revista de cuando te eligieron joven sobresaliente?

–Tu mamá siempre me cayó muy simpática.

–Bueno, basta, ya te estoy malcriando; dejemos los halagos que todavía no te perdoné. ¿Por qué no me llamaste?

–Disculpame, me quedé dormido. Anoche dormí poco.

Mientras hablaban, Guillermo notó con espanto cómo su pene empezaba a llenarse de sangre y a moverse lentamente en la oscuridad de los calzoncillos, como un durmiente que se despierta y se desperezа entre las sábanas. Respondía a la voz de Helenita, la llamada del amo. Ella le preguntó qué iban a hacer esa noche. "¡Es sábado!", le gritó, impaciente. Guillermo pensó en inventar alguna excusa para no verla, pero la tentación fue más poderosa. Finalmente la invitó a cenar a un restaurante, supuso que un lugar público sería menos propicio para los desbordes eróticos.

Su teoría resultó errada; ni bien Helenita entró al auto, su pene volvió a encresparse intranquilo y pronto alcanzó cierto grado de erección. Si bien Helenita no podía verlo –Guillermo tenía puesto un sobretodo y se cubría inclinándose sobre el volante–, actuó como si se hubiera dado cuenta. Después de darle un largo beso, dirigió una mirada directa a la ingle de Guillermo.

–¿Cómo está mi amigo? –lo saludó con tono campechano–. ¿Pudo descansar? Cuidámelo.

–Eso trato.

–¿Siempre fuiste tan fogoso?

–La verdad, que como hoy a la mañana nunca. Ese sí que fue un *coitus interruptus* –sonrió.

–Más bien todo lo contrario: fue interminable ¿Estás seguro de que querés ir a un restaurante?

–Sí, vamos –se apuró a contestar Guillermo–, no comí nada en todo el día –le respondió evitando mirarla.

Después de soñar con ella durante años, rechazar una invitación tan explícita le sonó ridículo. Helenita refunfuñó desilusionada, se echó hacia atrás y se arrellanó en el asiento. Guillermo puso en marcha el auto.

–Veo que no me trajiste la rosa negra –protestó Helenita.

–Todavía no tuve tiempo, pero no creas que me olvidé.

–No creas que *yo* me voy a olvidar.

A lo largo de la cena Guillermo pidió dos botellas de vino, especulaba con que el alcohol debilitaría su potencia.

–No sabía que tomabas tanto –comentó Helenita.

–En general no tomo, pero hoy tengo ganas de festejar –dijo Guillermo–. Es un día muy importante.

Helenita le sonrió con ternura.

–Antes, entre tantas otras cosas, me había prohibido a mí misma el alcohol. Era parte de mi lucha contra la vejez.

Mientras comían, Helenita le contó que había vivido varios años obsesionada con su piel. Le aterraba que se le formaran bolsas debajo de los ojos o se le cayeran las comisuras de los labios. "Viste que te hacen parecer triste".

–Estaba medio loca. Me masajeaba todo el día con cremas hidratantes, dormía montones de horas, no tomaba sol, no usaba maquillajes ni tinturas, había comprado espejos de aumento y lupas para detectar signos precoces de atrofia de la piel. Conseguí un libro que enseñaba a fortalecer los músculos de la cara y me la pasaba haciendo muecas frente al espejo. Fuera de los ejercicios recomendados, trataba de gesticular lo menos posible.

Ahora Guillermo entendía porqué la mímica de Helenita era tan medida, en verdad sus gestos siempre le habían parecido majestuosos.

–Y yo que creía que no usabas maquillaje porque no lo necesitabas –dijo Guillermo y, sin poder ocultar cierto tono de reproche, agregó–: Pero también te operaste.

A Guillermo le resultaba sacrílego que Helenita se hubiera atrevido a modificar su rostro, como si su belleza fuera un patrimonio de la humanidad, un tesoro que no le pertenecía del todo.

–Sí, un par de veces –le contestó su amada desafiante–. Ramón protestaba, no envejecer es un gusto caro.

En ese momento sonó un celular. Apenas atendió, Helenita puso cara de fastidio y saludó con voz seca. Dijo que estaba cenando con su prima Marita. "Te manda un beso", agregó. Guillermo sonrió, bastante borracho. "Si te quedan dudas, te doy con ella", contestó Helenita enojada. "No, no te voy a comunicar con Marita. Se fue al baño. Claro que no tenés manera de saber con quién estoy. Te hubieras quedado en Buenos Aires", cortó Helenita casi a los gritos.

Guillermo asentía, admirado por la actitud temeraria de su amada.

–Parece que Ramón no te da miedo.

–No sé si no le tengo miedo. Estoy harta de su violencia, ¿por qué pensás que me operé la nariz? El idiota de Ramón me pegó una trompada después de la cena con el belga. Hice la denuncia policial, casi lo meten preso.

–¿Te pegó una trompada?

–Me tuvieron que hacer la nariz de nuevo.

Lo dijo con un tono tan afectado que Guillermo desconfió. No podía discernir si Helenita se había operado porque Ramón le había roto la nariz o porque le fascinaba ir al cirujano. Solo un dato resaltaba con claridad: Ramón era un gran rompedor de narices.

Durante la comida, su pene se había comportado con educación. En algunas oportunidades ciertas palabras y miradas de Helenita lo habían despabilado, pero no fueron más que amagues, meras amenazas. De todas formas, por precaución, después de los postres Guillermo pidió una botella de champagne; seguía pensando que el único recurso para mantenerlo a raya era ahogarlo en alcohol. Salieron del restaurante totalmente borrachos. Guillermo manejó haciendo un terrible esfuerzo de concentración; iba aferrado al volante, con los ojos abiertos con tanta fuerza que sentía la tirantez del cuero cabelludo.

Lo primero que hicieron cuando llegaron a la casa de Helenita fue tomar una ducha para despejarse de la borrachera. Al salir de la bañera, Helenita tropezó y arrancó la cortina; el lavatorio frenó su caída y ella se envolvió en la cortina muerta de risa. La piel mojada se pegaba al plástico transparente. Se acostó en la cama y rodó sobre sí misma; la cortina se retorció en pliegues sobre su cuerpo.

"Así, brillosa y húmeda, parece un gusano", pensó Guillermo con rencor. Dejó caer la toalla sin terminar de secarse y se lanzó a recorrer la distancia hasta la cama tratando de no perder el equilibrio. Entreabrió los pliegues de la cortina y se acostó sobre Helenita. Tuvo que luchar enérgicamente contra la tentación de quitarse el preservativo. "Con esta mierda no siento nada, ando a tientas como un ciego". Sin embargo, lo había usado con otras mujeres y siempre había acabado. Se sentía solo y estúpido bombeando mecánicamente en el interior de su amada, con el sexo tirante y anestesiado. Ambos habían alcanzado un estado de mutuo despellejamiento que anulaba toda voluptuosidad. Guillermo también acusaba de su fracaso a Helenita: "Si dejara de gritar y de sacudirse como una epiléptica, yo podría concentrarme y llegar", se lamentaba, totalmente exhausto. Al contrario, Helenita estaba satisfecha, agradecida por los esfuerzos de Guillermo. "Sos *my working class hero*", le susurraba.

A las tres de la madrugada Guillermo saltó de la cama con el pene tieso y doloroso. No podía entender el contrasentido de que su pene estuviera erecto y frío al mismo tiempo. Helenita dormía la mona a su lado. Al incorporarse sintió que la cabeza le estallaba, fue al baño y tomó un par de aspirinas. Sacudió a Helenita por los hombros, pero no logró despertarla. Se vistió resignado. Abrió la puerta del edificio con la llave que le había dado su amada, pensó con amargura que ponerla en su llavero había sido un acto de apresurado optimismo. Cuando ya estaba en la calle se dio cuenta de que no le había dejado una nota.

52

Entró al Acceso Norte a ciento setenta kilómetros por hora. Estaba haciendo lo que tanto criticaba de los jóvenes: manejar en forma arriesgada. Siempre le había llamado la atención la paradoja de que, cuanto más tiempo les quedaba para vivir, menos cuidaban su vida. A ciento noventa kilómetros por hora, Guillermo sintió que perdía el control del BMW. Intentó sobrepasar esa velocidad pero el miedo se lo impidió. No logró un susto convincente; comprendió que no podría ir más allá de cierto límite y su pene lo comprendió antes que él.

Ya estaba pensando que no le quedaría otra solución que consultar a un urólogo, cuando se acordó de que el médico le había dicho que corriera para hacer circular la sangre. Se dirigió a la Costanera, todavía era de noche, el río ni siquiera se adivinaba. Guillermo dejó el sobretodo y el saco en el auto y empezó a correr por la vereda del río. Esto tampoco surtió efecto. Se le ocurrió combinar el ejercicio con el miedo: resolvió trotar sobre el borde del pretil. Calculó que tenía unos cuarenta centímetros de ancho, le pareció bastante arriesgado sin llegar a ser realmente peligroso. "De nuevo en la costanera, pensar que hace menos de veinticuatro horas estaba aquí con ella", se dijo recordando con nostalgia su momento de triunfo; luego se recriminó, "seduciéndola con mentiras, lo del Rayo verde fue una mentira y por eso me creció la nariz", razonó mientras trotaba haciendo equilibrio por el borde del muro de hormigón. Al principio aminoraba la carrera cuando se topaba con algún pescador, luego decidió saltar las cañas. En uno de los saltos resbaló y se cayó al río. "¿¡Qué hice!? ¿Qué estoy haciendo? Me volví loco". Ahora sí que se había asustado. Como el río estaba alto, el agua lo salvó del golpe. Si bien la experiencia no hizo más que arruinarle un pantalón y un par de zapatos, Guillermo se sintió profundamente infeliz.

Tuvo que nadar un buen trecho hasta encontrar una escalera en el muro que le permitiera salir del río. Caminó hasta el auto chorreando agua con olor a pescado y barro. Se figuró que no eran los olores del río sino los de su carne que se pudría entre sus piernas. A pesar del susto, la erección no cedió. Al caminar, su pene se bamboleaba como una piedra pegada al pubis, remedando la cadenciosa marcha de los camellos. Guillermo se sentó en el auto y aferró su miembro con angustia; lo sentía ajeno, como si hubiera dejado de ser parte de su cuerpo. Se puso a llorar. "Con Mimi esto nunca me hubiera pasado". La extrañaba amargamente, la recordaba tan alegre, tan cariñosa... Encendió el motor con un ademán de desolación. No le quedaba otra salida que consultar nuevamente a un urólogo.

Cuando el médico se asomó a la puerta del consultorio, Guillermo se sobresaltó: lo atendería el mismo urólogo. Para controlar el temblor de sus manos tuvo que meterlas en los bolsillos del sobretodo. No obstante, su pene no se acobardó; aprendía, ya no resultaba tan fácil amedrentarlo.

–Pero, cómo, ¿a la noche también está de guardia? –preguntó Guillermo, intrigado.

–Es la misma guardia, veinticuatro horas, de ocho a ocho –le respondió el médico restregándose los ojos–. Me sacó de la cama. No lo esperaba tan pronto. *"L'amour, l'amour, toujours recommencée!"* –recitó, abriendo los brazos a modo de bienvenida–. Es de *Le cimitière marin*. Empapado y con ese olor, adivino que usted viene de un verdadero cementerio marino.

–Me pasó lo mismo que a la tarde –dijo Guillermo con la voz quebrantada.

–Corren vientos nuevos en Medicina, técnicas modernas que en realidad se remontan a *Las mil y una noches*. Dado que le tiene tanto miedo a las agujas, vamos a dejar la jeringa como último recurso. Voy a intentar curarlo hablándole, como hacen los psicólogos. Desenvuelva el caramelo, por favor.

–¿No me iba a curar hablando?

–No sea vergonzoso. Soy médico.

El urólogo se puso un guante de goma en la mano derecha y apresó firmemente el pene de Guillermo. Nuevamente se rascó con el filo de las uñas la barba de tres días que le cubría la mandíbula, desdibujada por la gordura y el aflojamiento de los músculos de la cara.

–Se dice que los médicos no nos excitamos con la desnudez de nuestros pacientes, tal vez deberíamos pensarlo con menos inocencia –continuó el urólogo como si hablara para sí mismo–. Por qué motivo un hombre se dedica a una especialidad que consiste en manosear los genitales de otros hombres y meterles el dedo en el culo para examinar sus viejas próstatas. Convengamos que aquí tenemos una pregunta. ¿No le parece?

Guillermo no le contestó. Esperaba con ansiedad que el médico acabara con el examen físico y le soltara el pene. Pero el urólogo no parecía dispuesto a complacerlo.

–Al contrario que para los griegos, para mí la belleza y la verdad son ideas antagónicas –comenzó a disertar el médico con deliberada parsimonia–. Platón consideraba la belleza como un modo de acceso al ser verdadero. En mi opinión, la belleza nos vela la verdad, y no me refiero solo a la belleza cosmética, la que se obtiene mediante artificios, sino también a la belleza genuina. La Medicina es antiplatónica. Cuanto uno más conoce la verdad menos se deja engañar por la belleza, cuanto más entiende menos disfruta. Cuando un médico examina a una mujer sabe que sus encantos dependen de la conformación de músculos y grasas, de la armonía de sus huesos; sabe que la tersura y el tono de la piel derivan de la proporción de líquidos, pigmentos y proteínas, de las glándulas sebáceas y sudoríparas, de cuánto hierro contiene su sangre y de otros detalles por el estilo. Usted me dirá, ¿y a quién le importan?

Guillermo lo miraba con el ceño fruncido en una mueca de desconcierto, el discurso del urólogo lo apabullaba pero no le despertaba ningún interés; solo lo intimidaba que se hubiera apoderado de su pene y se lo retuviera como si fuera una maniobra médica común.

–La belleza es un disfraz que pretende ocultar nuestro ser mortal –prosiguió el urólogo–. El interior del cuerpo nos horroriza. Cuando nos herimos quedan al descubierto las tripas que la piel esconde. La coloración vinosa de la vagina, el tono sanguinolento de nuestros genitales encendidos de pasión anticipa el de nuestras vísceras rojizas y húmedas.

Acostado en la camilla con los pantalones abiertos, Guillermo se sentía totalmente indefenso. Sospechaba que el urólogo estaba loco y que podía hacerle lo que se le antojara. A medida que transcurrían los minutos, el miedo de Guillermo aumentaba, pero el médico no parecía ni remotamente dispuesto a devolverle la libertad. Al fin, Guillermo se animó a interrumpirlo:

–¿Por qué no me lo suelta? –le rogó.

–Es parte de la terapéutica. Considérelo una imposición de manos, como haría cualquier sanador. Escuche, que mientras tanto lo estoy curando. Usted se preguntará por qué le hablo de la belleza: porque detrás de la belleza está agazapado el amor, listo para saltar sobre uno y dominarlo. El amor es una trampa de los genes, igual que el sexo. Así como los genes se protegen a sí mismos cubriendo los genitales con una espesa red de terminaciones nerviosas de extrema sensibilidad al placer y al dolor, el amor nos hace gozar como el sexo o sufrir como una buena patada en los testículos. Por eso, mi solución personal al cepo de *L'amour, l'amour, toujours recommencée*, es ser un amante anatomista. Al amante anatomista no le interesa la belleza sino la variedad, en la variedad está el gusto. Una mujer distinta cada noche; no importa la edad, la cultura, las imperfecciones de cuerpo o del espíritu. Además, ventaja agregada, la mujer fea es más fácil de seducir. El amante anatomista examina a todas sus presas con idéntica curiosidad, las estudia con tanta atención que algunas confunden el interés científico con el amor y se entregan contentas. El amante anatomista nunca se aburre, aprendió a mirar y a entusiasmarse con los detalles que diferencian a una mujer de otra; las observa como un zoólogo en una expedición a tierras vírgenes, donde hallará y clasificará especies desconocidas.

El urólogo se detuvo en medio de su discurso y soltó el pene que se inclinó lentamente sobre el muslo. Guillermo sintió el doble alivio de la detumescencia y de que lo dejaran en libertad. Corrió al baño sosteniéndose los pantalones con la mano. A su regreso, el médico dijo:

–Bueno, veo que por suerte ha entendido mis argumentos.

–No entendí nada, no podía concentrarme en lo que decía.

–No le hablaba a usted sino a él. Lo persuadí de que salga de su error. Fíjese cómo bajó la cabeza derrotado.

–Dígame la verdad, ¿cómo me curó?

–El pánico homosexual nunca falla.

–Puede ser –admitió Guillermo–. Y ¿por qué me pasa esto?

–En el pecado está el castigo –respondió el urólogo–. ¿Quería tenerla grande? Ahora la tiene grande todo el tiempo.

–No es cierto, siempre estuve conforme con el tamaño de…

–Ningún hombre está conforme –lo interrumpió el urólogo con una carcajada–. Es el castigo a su vanidad.

–¿Y por qué me hablaba del amor? Quizá sea cierto, la amé toda la vida. Me excito con solo acercarme a ella, con solo nombrarla.

–Sí, le hablé del amor, pero no sé por qué –suspiró el urólogo–. En realidad, en más de la mitad de los casos no podemos identificar la causa de la enfermedad. Cuando no sabemos, los médicos le echamos la culpa a los virus o a las cuestiones emocionales. Si su amada lo enferma no le va a quedar otro remedio que alejarse de ella.

53

Guillermo se arrastró camino a su casa, pensando que tenía que preparar la rosa negra para la noche y todavía no había decidido en qué envoltorio llevarla.

Cuando su madre lo oyó entrar, le gritó:

–Hijo, ¿me trajiste los cigarrillos?

Guillermo se dirigió al baño de su habitación, tiró la ropa mojada y maloliente en la bañera y se puso una bata de toalla. Buscó en un cajón del escritorio un atado de cigarrillos. Fue a la habitación de Celina, le dio un beso y le entregó los cigarrillos que le había pedido. Eran las ocho de la mañana del domingo, su madre estaba sentada en la silla de ruedas frente al televisor.

–Qué tarde llegaste –le dijo.

Guillermo no contestó.

Celina insistió con preguntas sobre el trabajo que Guillermo respondió de manera concisa; mientras hablaban no se miraban, ambos tenían los ojos fijos en la pantalla del televisor.

–Bueno, tengo que hacer –dijo Guillermo.

Al salir de la habitación de la madre, se atravesaba una amplia antecámara que funcionaba como *living* íntimo, aunque Celina rara vez recibía visitas. Allí estaba el florero con las rosas negras.

Guillermo procedió con sigilo, no quería que su madre se diera cuenta de que le iba a quitar una de sus rosas. Se sentía como el personaje de ese cuento infantil que debía robarle tres pelos al Diablo. No había terminado de pensarlo cuando oyó el rechinar de la silla de ruedas. Celina se acercaba a husmear.

–¿Vas a regalar mis rosas?

–Una sola.

–Pero me estás quitando la mejor de todas.

Guillermo debió admitir que había tomado la flor más sana. A pesar de que el barniz les daba un aspecto artificial de flores sintéticas, las demás estaban bastante mustias y secas; su madre ya no las cuidaba como antes.

–Es para una persona muy especial –sonrió Guillermo.

–¿Se puede saber quién? –dijo la madre mientras le agarraba la mano con angustia.

–Ya te la voy a presentar.

–Debe ser en serio. Dejame ver algo. –La madre le quitó la rosa de las manos y la retuvo contra su regazo–. No quiero que te la lleves.

–Por favor, es muy importante para mí –le suplicó Guillermo y sujetó la rosa por el tallo.

–Se va a romper –le advirtió Celina.

Guillermo sabía que su madre tenía razón, las rosas momificadas eran extremadamente frágiles. Dejó que su mano resbalara sobre la película negra y viscosa que cubría el tallo. De repente, se enganchó la piel en las espinas y se le formaron puntos de sangre en la palma. "La mano de la quemadura", pensó Guillermo.

–Te lastimaste –dijo la madre apenada–. Está bien, te la doy, pero te digo una cosa: esa mujer no es para vos.

–Si no la conocés.

–Pero te conozco a vos y jamás te vi tan alterado.

–No te preocupes, estoy mejor que nunca.

–Esta mujer no me gusta, veo una desgracia. Si la rosa fuera para la yanqui estaría de acuerdo, Mimi es una buena persona, pero es para otra, ¿no?

Guillermo se acercó a su madre y le acarició la cara. Mirándola a los ojos, le dijo con su tono más aplomado:

–Quedate tranquila que todo anda bien.

Celina no parecía convencida; al fin, después de un rato, esbozó una sonrisa.

–Entonces, ¿me la puedo llevar? –la urgió Guillermo.

–Bueno, pero traeme nuevas, por favor.

–Sí, estas son una ruina. Mañana te voy a comprar pimpollos frescos.

–Comprame de las colombianas y fijate que sean bien oscuras, las últimas que me trajiste no tomaban color.

Celina dio media vuelta con su silla de ruedas y se encaminó hacia su habitación. Guillermo se quedó mirándola, la cabeza canosa de su madre escasamente sobresalía del respaldo de la silla.

Guillermo se puso a buscar un estuche adecuado para la rosa en el cuarto de las valijas, una de las habitaciones vacías del departamento. Su madre solía guardarlos en el estante superior de un gran armario. Guillermo encontró cajas redondas de sombreros, estuches de joyas, una caja forrada en raso que había contenido una estola de visón. Al fin, se decidió por la caja de mica de una vieja muñeca española.

54

–¡Es negra de verdad! –dijo Helenita con la caja en la mano.

Guillermo recién había entrado al departamento. Helenita desenvolvió la rosa antes de que él tuviera tiempo de quitarse el abrigo. Cuando abrió la caja frunció la nariz con repugnancia.

–¡Huele muy mal! ¿No se supone que las rosas son flores con perfume?

–Así son las rosas negras que fabrica mamá, cadáveres carbonizados.

–Bueno, para el caso, todas las flores que una compra son cadáveres, pero esta se lo tomó en serio, está en franca descomposición –dijo Helenita volviendo a cerrar la caja–. ¿Sabías que las flores son órganos sexuales? Qué raro, ¿no? Es un regalo muy hermoso. –Helenita le dio un beso. De pronto exclamó–: Recién ahora caigo, así que las fabrica tu mamá; me hiciste morder el anzuelo.

–Vos me la pediste.

–Sos astuto –sonrió Helenita–. Lo único que me consuela es pensar en la cantidad de mujeres que deben haber caído antes que yo. Aunque, pensándolo bien, no me consuela para nada; vos debés ser un mujeriego y tu mamá es tu cómplice.

–No, no sabés cómo protestó –dijo Guillermo, llevándose la mano a la boca y soplándose los puntazos de las espinas.

–Por supuesto, tiene que guardar las apariencias.

–No me la quería dar, tuve que forcejear con ella.

–Entonces, habrá intuido que la cosa venía en serio. Debe estar muy ansiosa por saber quién es la malvada que está por robarle a su criaturita.

Guillermo lanzó una carcajada nerviosa.

–No, mamá no piensa así.

–Vamos... –dijo Helenita con una mirada perspicaz.

Guillermo empezó a sentir que Helenita le hablaba de un modo irónico y distante. No supo cómo interpretarlo. Tal vez la rosa negra la había desilusionado. Intentó rescatar el valor de su regalo.

–La caja es muy antigua, era de una vieja muñeca española de mamá.

–Parece un ataúd.

Guillermo pensó que era cierto, la caja de mica con el fondo forrado en una tela de color violeta eclesiástico acentuaba la suntuosidad mortuoria de la rosa negra.

–No sé dónde ponerla –dijo Helenita–. ¿Acá arriba queda bien? –Colocó la caja sobre la repisa de la chimenea. Se alejó unos pasos para estudiar el efecto–. No, no me gusta. Parada se le cae la cabeza para el costado. –De golpe, estalló–: Se puede saber por qué te fuiste anoche sin avisarme, no me dejaste ni una nota –le gritó–. Estamos juntos un par de días y ya te portás como Ramón, al final son todos iguales.

Helenita siguió gritándole un rato; Guillermo la escuchaba apabullado. Cuando se calmó un poco, Guillermo comenzó a pedirle disculpas.

–No quería despertarte –le dijo compungido–. Lo nuestro es tan reciente, no sabía qué hacer.

Se quedaron en silencio. Por fin, Helenita sonrió.

–Tengo cistitis –le informó como al pasar–. Es de tanto hacer el amor.

–Perdoname, yo no...

–No, no es un reproche –lo atajó–; al contrario, me encanta que seas tan potente.

Como una campana de largada, la declaración desató esa conducta que Guillermo ya no lograba controlar. Funcionó del mismo modo misterioso que los silbatos para perros: inaudibles para los humanos, pero eficaces para el animal.

55

Esa noche, como las anteriores, desolado por su erección perpetua, Guillermo no pudo dormir. Se entretuvo admirando la belleza de Helenita. No dejó de notar el maquillaje corrido, los surcos oscuros de las lagañas de rímel, pero estos descuidos de la intimidad lo hacían amarla aun con más fuerza. Ella dormía desnuda, echada de costado; la blancura del cuerpo de Helenita contrastaba con el color morado berenjena de su pene. Guillermo recordó que cuando se masturbaba en la infancia lo torturaba una calentura seca, tensa, interminable. Ahora volvía a experimentar la misma fiebre sin alivio. Pensó en contarle su problema –Helenita le había hablado de su cistitis–, pero no se atrevió. No sabía cómo reaccionaría si le confesaba que lo que su amada llamaba potencia era una enfermedad.

Esa noche, Helenita había lanzado entre sueños unos suspiros roncos y profundos que a Guillermo le habían recordado los rugidos de los leones, sofocados por las paredes del pabellón de felinos del Zoológico. La intensidad de los acontecimientos del fin de semana le provocaba la sensación de que había pasado muchísimo tiempo. Ramón y Mimi habían quedado relegados al fondo de su mente; Guillermo los sentía como seres irreales, figuras de dos dimensiones. El viernes Mimi le había enviado un *e-mail* para consultarlo por la venta de unos papeles que estaban en alza; de paso le decía que lo extrañaba con desesperación, que no soportaba andar por los lugares donde habían estado juntos. Ramón había vuelto a reclamarle que le enviara un par de escopetas de repetición calibre doce que Guillermo ya había rescatado del depósito de la Aduana, pero que aún permanecían en su oficina. Ramón le había recomendado comprar las escopetas para proteger a los cazadores. "Cuando erran el tiro o solo hieren al león, conviene que yo tenga un cañón a mano por si al animal se le ocurre vengarse". Ramón siempre aprovechaba la comunicación para agradecerle que lo hubiese incluido en el proyecto La Pampa Africana; en esta oportunidad, porque le había permitido reunirse con sus amados dogos que, desde la venta de la estancia de Punta Indio, habían quedado encerrados en una guardería canina. "Ahora vive de nuevo con Moby Dick XIII, White killer XVI y el resto de las secuelas de sus perros inmortales", sonrió Guillermo. Como en todos sus llamados, Ramón le prometía que cuando lo visitara probaría el cordero a la cruz, su especialidad.

Nuevamente Guillermo se retiró de la habitación de Helenita sin lograr despertarla. Le susurró al oído que tenía que regresar a su casa a darle un antibiótico a su madre. La noche anterior habían hablado de la tos de Celina. "Tiene bronquitis y sigue fumando como una chimenea", protestaba Guillermo. "Como toma pastillas para dormir, se saltea la dosis de antibiótico de la mañana". Totalmente dormida, Helenita balbuceó algunos monosílabos y asintió para que la dejara tranquila. Por precaución, en esta oportunidad Guillermo le escribió una nota.

56

Entró a su casa apremiado por la necesidad de orinar, apretaba los muslos retorcido de dolor, con la frente húmeda de transpiración. No sería como tantas otras veces, cuando solo debía esperar a llegar al baño para aliviarse. Ahora no podría orinar. Cuando abrió la puerta del departamento, Guillermo se percató de que por actuar mecánicamente había cometido un error: había subido los veintisiete pisos y ahora debería bajarlos de nuevo para –aunque le causaba espanto– visitar al urólogo.

Lo que más le molestaba de vivir en el piso veintisiete eran los interminables trayectos en ascensor. El ascensor se ajustaba a la imagen que Guillermo tenía del Purgatorio: un ir y venir sin moverse de lugar, un viaje sin paisajes. "Ascensos y descensos, como las acciones de la Bolsa"; sabía que los ascensos podían ser rápidos o lentos pero que, favorecidos por la ley natural, los descensos solían ser vertiginosos. Resolvió bajar, volver a sacar el auto de la cochera y dirigirse al sanatorio a someterse al tratamiento del médico.

Salió del departamento por la cocina, el ascensor de servicio desembocaba directamente en las cocheras. En el pasillo, le llamó la atención el brillo del cable del ascensor en la oscuridad. A diferencia del ascensor principal, de puertas ciegas de acero pulido, el de servicio tenía puertas tijera. Tiempo atrás, un amigo le había relatado risueño la insólita costumbre de un familiar medio loco:

se masturbaba con el cable del ascensor; se deslizaba por el cable enroscado con manos y piernas, solo de esa manera alcanzaba el orgasmo. Cuando se lo contó, a Guillermo le causó gracia; ahora lo pensó seriamente. En ese acto se asociaban dos métodos de cura: el pánico y la masturbación. Trastornado por el tormento de la orina retenida, Guillermo se imaginó que acababa con sus últimas prevenciones, soltaba el patín que trababa la puerta del ascensor, tomaba carrera y se arrojaba al vacío. "¿El cable estará cubierto de grasa?", se preguntaría, mientras resbalaba a toda velocidad. Por suerte para él, en su fantasía, el ascensor se hallaría detenido en el piso veintitrés. Al aterrizar, flexionaría instintivamente las rodillas, por eso no sufriría más que un esguince de tobillo. Las manos se le despellejarían por la fricción –sin duda, el pariente de su amigo habría tenido la precaución de ponerse guantes–. Los gritos y el estruendo del golpe sobre el techo metálico despertarían a los vecinos. Cuando lo rescataran, Guillermo notaría que se había orinado en los pantalones. El ruido de la llegada del ascensor lo despertó de su ensueño.

57

La enfermera, una mujer muy gorda, caminaba de aquí para allá agitando sus pulseras; entraba a los consultorios con carpetas de historias clínicas o con las manos vacías. "Para curiosear", supuso Guillermo, temeroso de que la enfermera se metiera a espiar mientras lo atendían o de que el médico directamente la llamara para exhibirlo como un fenómeno de circo.

Estaba de guardia el mismo urólogo.

–¿Otra vez usted? –preguntó Guillermo espantado–. Hoy es lunes.

–Sí, no es mi día de guardia –respondió el médico con una risotada.

El urólogo le indicó con un ademán que se acostara en la camilla y, con sospechosa confianza, él mismo se encargó de desabrocharle el pantalón y bajárselo junto con los calzoncillos. Liberado de trabas, el pene de Guillermo saltó hacia adelante como una catapulta. El urólogo no emitió ningún comentario, se limitó a empuñar el miembro con su mano derecha enguantada en látex.

–Hoy también le voy a hablar, la otra vez le hizo tanto bien... –dijo el médico con inesperada dulzura maternal y se quedó mirándolo expectante, quizá aguardando alguna señal de aprobación, pero Guillermo permaneció en silencio.

–Todavía estoy impresionado por lo que le pasó a un colega y amigo mío. Un ginecólogo. Algo increíble, uno nunca termina de asombrarse de las cosas que puede encontrar dentro de su propio culo.

Guillermo se estremeció intranquilo, el comienzo del relato ya le provocaba resquemor.

–A los dos meses de la muerte de su mujer, a quien amaba locamente, mi colega tuvo una hemorragia anal extraña que no respondía a las características de los sangrados habituales del tubo digestivo, se parecía más a una menstruación. Reacio a consultar, como casi todos los médicos, mi colega se examinó a sí mismo. Se sentó sobre la ducha del bidet, hizo correr agua caliente y se metió un dedo para investigar. Detectó en lo profundo del recto una formación maciza y dura, idéntica al cuello del útero, que el ginecólogo conocía a la perfección por haberlo palpado miles de veces. El diagnóstico de que se trataba de la menstruación no tardó en confirmársele: la hemorragia se repetía cada veintiocho días. "Por lo menos soy regular", se consolaba mi colega. Sabía que debía hacerse estudios para descartar un tumor de intestino, pero no quería que le descubrieran el útero: estaba convencido de que en sus entrañas albergaba el útero de su mujer. Digamos que el fallecimiento de su esposa lo había dejado bastante trastornado. Yo, que llegué a conocerlos, siempre pensé que mi amigo la amaba en exceso; simplemente, no soportó perderla. Ahora sentía que su mujer lo habitaba, como un fantasma habita un castillo; solo que en lugar de arrastrar cadenas y asustar a las visitas agitando sábanas, mi amigo creía que su mujer se le había metido dentro del cuerpo. Inundado de dicha, se repetía que se amaban tanto que ni la muerte había logrado separarlos. Para complacerla, dado que su mujer era extraordinariamente fogosa, mi colega comenzó a involucrarse con hombres. Cualquiera hubiera dicho que mantenía relaciones homosexuales excepto él mismo, para quien su culo era la vagina de su mujer. Lógicamente, que otros hombres hicieran el amor con su mujer a sus espaldas, lo volvía loco de celos; pero debía resignarse, él no podía satisfacerla. Su pene no poseía el largo suficiente como para doblarlo hacia atrás e introducírselo en su propio ano (prodigio o aberración del cual observé un solo caso en mi dilatada carrera profesional) y, por supuesto, mi colega no quería privar a su esposa del placer que más disfrutaba.

Absorto en el relato y con la sensibilidad anestesiada por la prolongada erección, Guillermo no había percibido con claridad que, mientras hablaba, el médico le acariciaba el pene rítmicamente. Apenas lograba discernir sus sensaciones, hasta que lo despertó una puntada de dolor, quizás el urólogo lo había pinchado. "¡El hijo de puta me está masturbando!" Guillermo estuvo a punto de incorporarse enfurecido, dispuesto a golpearlo, cuando de repente lo invadió una gran lasitud; le daba igual, que hiciera con él lo que se le diera la gana. Estaba en manos del médico, en todos los sentidos posibles.

–Cuando la regla se le retrasó dos semanas, mi colega decidió hacerse un test de embarazo. Nunca supo quién era el padre, en sus relaciones amorosas se había conducido con notable promiscuidad. Los primeros meses, la panza progresó como un embarazo normal, pero en el segundo trimestre el ritmo se aceleró de manera insólita. El ser que anidaba en su cuerpo adquirió un tamaño tan desmesurado, que el ginecólogo se dio cuenta de que no podría parirlo por ningún agujero natural. Ni la cesárea más extensa sería suficiente para extraerlo de su vientre. Comprendió que estaba condenado a morir, pero no le importó. Al contrario, para sostener el crecimiento de su hijo comía con terrible voracidad. Se instaló en la casa de su madre, necesitaba que alguien lo alimentase, tomaba ocho comidas por día, aumentó casi cincuenta kilos. Lo visité una sola vez, fue todo lo que aguanté. El estado de su cuerpo deformado por la gordura contrastaba con su expresión de bienaventuranza.

Irradiaba un aura de felicidad luminosa que nunca había visto en un rostro humano. Cierta mañana, no logró levantarse de la cama, estaba muy débil; a pesar de la gran cantidad de nutrientes que le aportaba, su hijo también le consumía las proteínas del organismo. Mi amigo perdió buena parte de su masa muscular, sus piernas y brazos quedaron flacos y encogidos como las alas de un pollo desplumado. Sentía los huesos tan endebles que temía fracturarse con solo apoyar un pie en el suelo. Al cabo de un tiempo tuvo que dejar de comer. El hijo ocupaba todo su interior, a duras penas conseguía expandir sus pulmones para respirar. En pocos días murió asfixiado. Y aquí viene un detalle difícil de creer: el cadáver se conservó casi dos semanas sin descomponerse; algo inexplicable detenía la corrupción. Obedeciendo las instrucciones de mi colega, la madre cuidó del cuerpo hasta que concluyó el desarrollo del hijo, que al final resultó ser una hija. La madre no estaba del todo convencida, pero como notaba que el feto continuaba moviéndose y creciendo a expensas de la materia que quedaba por consumir, optó por esperar. La señora me contó que a los nueve meses la hija rasgó con las uñas la piel apergaminada y traslúcida del vientre de su padre. Era una niña de un metro veinte de altura y treinta kilos de peso. Mi amigo se redujo a una cáscara seca, solo reconocible por el rostro; un cuerpo vaciado de vísceras, literalmente piel y huesos. Los que la vieron años más tarde dicen que la hija es idéntica a la esposa del ginecólogo, un duplicado perfecto. El marido había logrado resucitar a su mujer. Un verdadero sacrificio por amor, una entrega sin límites. Por eso le digo que hay que cuidarse del amor.

A pesar de que había terminado su relato, el urólogo seguía manoseando maquinalmente el pene de Guillermo. Lo hacía con el aire desganado de quien ejecuta una tarea manual rutinaria, pero a cada rato tamborileaba sobre la cabeza del miembro o lo pellizcaba. Guillermo suponía que al médico lo enfurecía no lograr curarlo o acaso lo mortificaba para recordarle que lo tenía agarrado.

Aunque las manipulaciones le causaban repugnancia, las prefería a la extracción de sangre. Guillermo lo miraba desorientado, con la sensación de estar despabilándose de un trance. El médico captó la expresión de su interlocutor.

–Le puedo contar esta historia confidencial porque sé que usted no me va a creer. El secreto está protegido por su misma inverosimilitud.

De pronto, aunque efectivamente no creía ni una palabra del cuento, Guillermo se conmovió por el ginecólogo que amaba tanto a su mujer y se puso a llorar. Recién entonces se recuperó del priapismo, la erección se derritió como una vela al calor de sus lágrimas.

El urólogo lo detuvo en la puerta del consultorio cuando estaba por irse.

–Mire que no todos los humanos son humanos. Existen parásitos que viajan de cuerpo en cuerpo, reproduciéndose dentro de los incautos que los aman. Me pregunto cómo será su amada ¿A usted no le habrá tocado un bicho como la mujer de mi colega, no?

Si no se hubiera sentido tan flojo, casi desfalleciente, Guillermo le habría pegado un puñetazo; en especial, cuando el médico le gritó "Hasta mañana". La carcajada del urólogo lo persiguió a todo lo largo del pasillo mientras escapaba hacia la salida.

58

–No fuiste a trabajar –le dijo su madre alarmada al encontrarlo en la cama a las once de la mañana de ese lunes.

–Tengo gripe –dijo Guillermo sin convicción.

–Pero es raro, ni siquiera lees los diarios.

–Estoy pensando –le respondió, demasiado amargado como para esforzarse en inventar excusas más plausibles.

Celina retrocedió hasta la puerta y se retiró, como si el tono cortante de su hijo la hubiese empujado fuera de la habitación.

Guillermo jamás hubiera sospechado que una afección de la cual ni siquiera había oído hablar se convertiría en el obstáculo para conquistar a Helenita. No podía creer que tantos años de deseo acabaran en este fracaso absurdo; que toda la relación real entre ellos se redujera a unos pocos días, un breve intervalo entre dos vastas zonas de tiempo muerto.

Helenita lo visitó ese lunes a la tarde, apareció sin avisarle. Había llamado a la oficina y le informaron que Guillermo se había quedado en su casa. Que su amada lo sorprendiera en la cama le dio vergüenza, en cambio, el inexorable ataque de priapismo que sobrevendría luego no le importó; no por resignación o valentía, sino porque estaba seguro de que había arruinado todo y el odio contra sí mismo exigía un castigo.

–Traje unos *scons* –dijo Helenita–. Amasados con mis propias manos.

–Parecen comprados –comentó Celina al desenvolver el paquete. Las expresiones de desconcierto de Guillermo y de ira de Helenita forzaron a Celina a concederles una escueta aclaración–. En mi época, cuando queríamos elogiar un suéter muy bien tejido decíamos que parecía de fábrica.

La dudosa justificación no disolvió el clima tenso. Celina sirvió el té. Luego de media hora de charla intrascendente, Helenita comenzó a hacerle gestos a Guillermo para que echara a su madre del dormitorio, pero Guillermo estaba absorto en sus pensamientos. No conseguía dejar de meditar acerca de los pésimos resultados de su anhelado encuentro con Helenita. Había sido un fin de semana vertiginoso y colorido: Rayo verde, rosas negras, pene azul. Desde la cama de Guillermo se dominaba el edificio de enfrente. Dos coreanos fumaban y se reían mientras barrían las hojas que cubrían la membrana plateada de la terraza. Después se sentaron a charlar contra una pared en la tarde fría y luminosa. Guillermo sintió envidia, le parecían tan despreocupados. Su vida perdía sentido, quería matarse, hacer algo que lo salvara de esta melancolía irremediable.

Cansada de esperar que Guillermo reaccionara, Helenita se encargó de arremeter contra Celina personalmente.

–No lo tomes a mal, pero ¿nos disculparías un minuto? Tengo que decirle algo a tu hijo a solas.

Helenita la tuteaba a propósito, sabía que esto la ofendería aún más. Celina buscó con la mirada el apoyo de Guillermo, esperaba que la defendiera de esta intrusa maleducada que se atrevía a echarla en su propia casa. Pero Guillermo continuaba con la cara vuelta hacia la ventana, completamente ajeno a lo que ocurría en la habitación. Celina se marchó enfurecida, sin pronunciar una sola palabra.

–Vieja metida –murmuró Helenita por lo bajo y de inmediato, levantando la voz, increpó a Guillermo–. ¿Me querés decir qué carajo te pasa?

La pregunta lo arrancó de sus cavilaciones. Sin embargo, Guillermo decidió reservarse la verdad. Redujo el priapismo a un trastorno menos aparatoso.

–No sé qué me pasa, con vos no puedo acabar. Antes, al contrario, tenía que contenerme.

Estaba a punto de agregar que su dificultad se debía a la veneración que profesaba por su amada, como si el interior de Helenita fuera demasiado sagrado para mancillarlo con su semen, cuando le pareció que, además de que la declaración le sonaba estúpida, el profiláctico la transformaba en una nueva mentira.

–Al final resultaste una mujercita frígida –se burló Helenita–. Yo te voy a curar.

A pesar de la depresión, por una especie de reflejo condicionado, la promesa de Helenita desató una vez más el efecto temido. Guillermo ya conocía el proceso, las molestias empezarían dentro de tres o cuatro horas, tiempo suficiente para poner en orden sus papeles. Se le ocurrió que para arrojarse desde la azotea sería mejor esperar hasta la noche. Recordó a los que se tiraban por las ventanas de los rascacielos luego del *Crack* de Wall Street. Le pareció ridículo: "Gente de la Bolsa que solo había perdido dinero". Se imaginó el ascenso de las vísceras sometidas a la inercia de la caída libre, el aire secándole los ojos. Había estado tanto tiempo sujeto por las cadenas del amor, que dejarse caer le pareció la única manera de volver a ser libre.

Helenita se sacó el *jean* y la bombacha y se metió entre las sábanas. Abrazó a su amante por los hombros y, luchando contra una resistencia inesperada, consiguió atraerlo hacia ella. A Guillermo lo paralizaba que el encuentro tuviera lugar en su cama de una plaza, en su habitación de soltero, con su madre escuchando atentamente del otro lado de la puerta.

Después de besarlo y acariciarlo, Helenita logró quitarle el pantalón pijama y el calzoncillo y lo empujó hasta colocarlo de costado. Mientras maniobraba con el cuerpo inerte, Helenita prometía con tono de amenaza "Ya te voy a hacer llegar, ya vas a ver". Ella adoptó la misma posición, apoyando el culo contra el miembro que esperaba impaciente. Ubicarse en paralelo a su amada le recordó a Guillermo una tristeza de la época de la escuela: la noticia de que las paralelas nunca se tocaban. La soledad cósmica de las paralelas lo había conmovido, se las imaginaba viajando eternamente a la velocidad de la luz por el espacio oscuro, sin encontrarse jamás. Se preguntó si Helenita y él existían en la misma dimensión, llegó a la conclusión de que nunca podría unirse a su amada.

Helenita empuñó el pene, lo mojó con saliva y lo guió directamente hasta el borde de su ano. Cuando Guillermo se dio cuenta de que su amada le estaba proponiendo que la sodomizara, lo estremeció una ola de gratitud y casi se puso a llorar. La generosidad de Helenita lo apabullaba. Mezclado con la esperanza de alcanzar el orgasmo se reavivó el remordimiento por haberla engañado con la farsa del Rayo verde. Sosteniéndolo aferrado, la piadosa Helenita arremetió con su culo contra la punta de ese instrumento; tímido, al principio, pero cada vez más intrépido, que enseguida presionó hasta forzar la entrada. En ese momento, Helenita lanzó un alarido desgarrador. Guillermo se detuvo espantado e intentó recular, preocupado tanto por el dolor de su amada como por el dolor que el alarido le provocaría a su madre. Helenita agarró el pene y estuvo tentada de clavarle las uñas para impedir que huyera. Lo guió con firmes tirones, como si manejara una rienda, hasta que Guillermo comprendió que su amada únicamente deseaba que la penetrara. Aceleró sus movimientos; los gritos de Helenita ya no le importaban, también se había desentendido de su madre, ilusionado con la promesa de que su amada lo curaría. Empapada de transpiración, Helenita le decía que estaba gozando como una perra, se quejaba de que le estaba rompiendo el culo, le pedía que le avisara cuándo iba a eyacular, le rogaba que le llenara el culo de semen. Al principio, a Guillermo le sorprendió que su amada hablara de una manera tan desvergonzada, pero pronto la excitación que le causaban estas palabras lo inflamó hasta el borde de la agonía. No obstante, aunque varias veces sintió que estaba a punto de acabar, siempre faltaba algo para disparar el clímax. Transcurría el tiempo, las venas de la frente se le hinchaban, todos los músculos de su cuerpo temblaban de agotamiento, pero el orgasmo no llegaba.

–Me duele –dijo Helenita después de un largo rato y como Guillermo no se detuvo de inmediato, insistió a los gritos–. Basta, me duele. Me lo estás rompiendo de verdad.

Helenita se dio vuelta y se puso a estudiar el pene como si quisiera conocer en detalle el rostro de su enemigo. Guillermo sintió que el órgano que se había atrevido a frustrar a su amada, también la estudiaba con su ojo de cíclope; le devolvía la mirada con insolencia: impasible, desafiante. Ya se encaminaba hacia su estado de petrificación, se convertía en un metal pesado como el plomo. Helenita lo examinó con odio: un instrumento rígido que no parecía pertenecer a un cuerpo humano.

Considerando el carácter volátil de su amada, adivinando que enfurecida por su impotencia para curarlo Helenita estallaría en cualquier momento, Guillermo pensó en ampliar su primera declaración y confesarle el priapismo completo. Incluso sopesó la posibilidad de admitir que le había mentido que, como ella había sospechado, el Rayo verde solo había sido una escenografía. Helenita no le dio tiempo. Mientras se alisaba la blusa frente al espejo, le asestó una estocada final. Le comentó con displicencia que a Ramón nunca le había permitido poseerla por el culo, aunque su esposo se lo pedía de rodillas.

–La tiene demasiado grande, me hubiese hecho pedazos.

Guillermo aceptó el insulto con cierto alivio, temía algo peor; sabía que era solo un anticipo del castigo que pronto ejecutaría el urólogo. Se consolaba pensando que con el tratamiento médico purgaría su culpa por lo del Rayo verde y podría volver con Helenita. El apuro por terminar cuanto antes con el sufrimiento que vendría se estrellaba contra el pánico que le provocaba la imagen de la jeringa. Aunque intentó persuadirse de que no valía la pena esperar hasta que la rubicundez normal de su pene fuera reemplazada por la coloración amoratada y cenicienta, azul petróleo de tormenta sobre el mar, demoró bastante en levantarse de la cama.

La puerta de la habitación de Celina estaba cerrada, no se oía ni siquiera el ruido del televisor. A Guillermo lo asaltó el temor de que su madre se hubiera suicidado, pero no la llamó, ni entró a constatarlo. Se dirigió resignado a su encuentro con el urólogo.

59

Guillermo se bajó los pantalones y los calzoncillos antes de acostarse en la camilla, desnudarse solo le pareció una actitud menos equívoca. Esta sutileza quedó desbaratada por la actitud del médico, que le atrapó el pene y lo examinó desde distintos ángulos con toda confianza.

–Cuatro episodios de priapismo en tres días –dijo el urólogo rascándose la coronilla–. Si sigue así se le va a estropear. O la pierde a ella o lo pierde a él.

Antes de que Guillermo pudiera comunicarle que estaba dispuesto a someterse a la extracción de sangre, el médico empezó a contarle una de sus historias.

–Yo tenía un paciente que venía a verme muy seguido, por supuesto no tanto como usted –sonrió el urólogo–. Además en realidad no se trataba de un caso de priapismo sino de erección crónica: se excitaba con la boca de las mujeres. Para este esclavo de la carne, obtener goce sexual era demasiado sencillo, una verdadera desgracia. Con solo sentarse en un bar y ver pasar a las mujeres entraba en erección; solía masturbarse entre seis y ocho veces por día y aún así nunca se sentía del todo aliviado. El resto del tiempo andaba con el pene en semierección, como esos nativos de África, creo que los bosquimanos, gente muy primitiva. Lo calentaba observar cómo movían los labios al comer, los recorridos de la lengua, la saliva mojando los dientes cuando sonreían. Les decía que tenían el *rouge* corrido o una miguita en la comisura de los labios para poder tocárselos; si lo lograba, la excitación crecía hasta lo insoportable. Se convirtió en un excelente interlocutor; las hacía hablar, la excusa perfecta para mirarles la boca fijamente sin incomodarlas. Gozaba doblemente, le encantaba que a ellas ni se les ocurriera que para él estaban desnudas. No podía caminar por la calle, acabó por no salir de su casa.

Guillermo permanecía inmóvil, con los ojos cerrados.

–¿Le interesa lo que le cuento?

–Vine a que me practique la extracción. Estoy arrepentido de que no lo hiciera en la primera consulta.

–Pero mis historias lo curaron, ¿no quiere evitar el método cruento?

–Quería, pero hubiera sido mejor proceder como se debía desde el principio.

El médico se encogió de hombros. Guillermo volteó la cara hacia la pared color crema, al costado de la camilla. El ruido metálico del entrechocar del instrumental quirúrgico le crispó los nervios; lo último que escuchó antes de desmayarse fue la voz del urólogo que decía: "Respire hondo, por favor".

Dejó el BMW en el estacionamiento y regresó a su casa en un taxi, se sentía demasiado débil como para manejar. Pensó en la segunda parte de su condena, ahora tendría que confesarle a Helenita que lo del Rayo verde había sido una patraña. Este segundo castigo sería menos doloroso que el primero pero mucho más grave en consecuencias: se expondría al juicio de su amada que, después de descubierto el engaño, podía decidir no verlo nunca más.

60

Guillermo se acordó de revisar los mensajes de su celular bastante tarde esa noche. "Me fui a La Pampa a ver a Ramón. Me di cuenta de que lo extraño mucho. Un beso y… gracias", le decía Helenita. "¿Gracias por qué?", se preguntó Guillermo demasiado perplejo como para ponerse a llorar. Se le ocurrió que Helenita le agradecía su inquebrantable tenacidad para conquistarla. Pero dudó, pensó con resentimiento que Helenita nunca había sido una persona agradecida. Su amada apelaba sin escrúpulos a la paradoja altruista del amor: "Si realmente me amás deberías alegrarte por mí, que he descubierto a quién amo, aunque no seas vos". Suponer que desearle el bien al amado era propio de la naturaleza del amor pertenecía al tipo de confusiones en las que podía incurrir Guillermo, jamás Helenita. Pero su amada la aprovechaba; le atribuía a Guillermo una comprensión y paciencia infinitas.

61

Guillermo decidió que tendría que matar a Ramón. "Muerto el perro se acabó la rabia". Su rival ya le había causado demasiado daño. Después de liquidarlo hablaría muy seriamente con Helenita. No quiso pensar que quizá también debería matarla a ella, prefirió concentrarse en los preparativos del asesinato. Se trazó un plan sencillo. Llevaría consigo las escopetas que Ramón le reclamaba, las armas destinadas a rematar a un hipotético león enfurecido que se abalanzara sobre los cazadores. Ahora el león herido era él mismo, la fiera encolerizada.

Le pediría a Ramón que le enseñara a disparar. (Para matarlo necesitaba aprender, nunca en la vida había tenido en sus manos un arma de fuego. La experiencia más parecida a cargar un arma había sido cambiar las pilas del control remoto del televisor, se sentía como un gánster metiendo balas a presión en el cargador de una pistola automática). Le diría que quería aprender a usar la escopeta, un arma con la cual no hacía falta tener demasiada puntería. Ramón le enseñaría con mucho gusto, haría cualquier cosa con tal de complacer a su patrón. Guillermo dispararía algunos tiros al blanco hasta familiarizarse con la escopeta, luego se daría vuelta y le apuntaría a su instructor. Ramón le explicaría que cuando el arma está cargada se la debe apuntar al suelo. Guillermo le diría "sí, claro, perdón" y le dispararía al pecho y a la cara. Después se encargaría de Helenita.

62

Guillermo partió de Buenos Aires temprano, al mediodía llegó a Santa Rosa y continuó sin detenerse hasta General Acha, donde tomó un café rápido y consultó el mapa. Enfiló hacia el sudoeste por la Ruta Nacional 152 hasta el empalme con la Ruta Provincial 20, hacia Chacharramendi. La entrada de La Pampa Africana quedaba en el kilómetro 147 de la RP 20. Reconocería la tranquera por un gran cartel con el logotipo de la empresa, Ramón le había mandado la foto por *e-mail.*

La RP 20 era una carretera recta y terriblemente monótona, famosa por el efecto somnífero que provocaba. Ni bien ingresó en ella, Guillermo se topó con letreros que recomendaban detenerse cada dos horas, bajar del auto a estirar las piernas y prestar mucha atención a cualquier signo de somnolencia. Otros carteles, bastante más alarmistas, decían: "No descansó, se durmió y volcó". Ilustraban el texto autos reales, despedazados y montados sobre postes. Guillermo sonrió, las precauciones le parecían exageradas y el modo de comunicarlas truculento; pero a poco de andar tuvo que darles la razón, la RP 20 funcionaba como un poderoso narcótico.

Además no se cruzó con nadie; al principio, Guillermo lo consideró perfecto para sus intenciones criminales –un auto tan infrecuente como el BMW Z3 sería difícil de olvidar para un testigo potencial–, pero pronto empezó a sentirse como un astronauta recorriendo una silenciosa ruta marciana. Al sentimiento de soledad se sumó el miedo de morir; pensó que acaso se debiera a que su padre había muerto en un accidente durante una carrera, luego dedujo que tenía miedo de morir porque iba a matar. Paradójicamente, aumentó la velocidad, lo apremiaba la urgencia por terminar el viaje, escapar cuanto antes de esa ruta que lo aterraba.

Mientras manejaba, Guillermo se distrajo con variaciones de su plan homicida: dispararle a Ramón en las piernas, arrastrarlo malherido hasta la jaula de los leones y meterlo adentro. Allí Ramón tendría oportunidad de averiguar si su amor por los animales era correspondido. Podría completar su obra sanguinaria incendiando las instalaciones. Quemar vivos a Ramón, a sus dogos y a los leones, todos juntos, enlatados en sus jaulas. "Al final yo soy el dueño de los leones, pagué por ellos". Guillermo también fantaseaba con castrar a Ramón de una perdigonada y que su enemigo tuviera que contemplar cómo violaba a Helenita. "Ya va a ver de quién es Helenita", se decía enardecido. Pero de repente lo sorprendió una idea desagradable: hiciera lo que hiciese Helenita nunca sería suya, al contrario, él siempre sería una posesión de ella.

Mecido por el efecto letárgico de la RP 20 y el placer de los pensamientos vengativos, Guillermo se adormeció; cuando se despabiló estaba prácticamente sobre la oveja. Divisó la forma blanca en medio de la ruta a una distancia que, a 180 kilómetros por hora, resultaba irrisoria. Antes de atropellarla, Guillermo hizo lo contrario de lo que se recomienda: apretó el freno y con un brusco volantazo se cruzó al carril de la mano contraria. Los neumáticos chirriaron y el auto coleó, pero no logró esquivarla: como si le hubiera adivinado el pensamiento, la oveja –una muy pequeña, apenas un cordero– también cambió de carril. Una de las ruedas delanteras del BMW le mordió una pata y la enganchó como si la hubiera succionado. El animal desapareció debajo del auto, que se empinó por el lado del copiloto dos veces, una por cada rueda. A pesar de que era un auto deportivo con excelente agarre al piso, andar a esa velocidad sobre dos ruedas terminó de desestabilizarlo. El BMW volcó, dio tres vueltas sobre sí mismo y quedó nuevamente parado sobre los neumáticos; después describió un perezoso trompo que lo dejó orientado hacia el lado contrario al que se dirigía. El cinturón de seguridad salvó a Guillermo de estrellarse la cabeza contra el techo de la cabina. Se detuvo en la banquina, bajó del auto con las piernas temblorosas y vomitó.

La carrocería había quedado cubierta de raspones, la óptica del lado derecho estaba rota y había sangre dentro del faro y salpicaduras de sangre sobre la pintura gris tiburón. Guillermo encendió el motor y avanzó por la banquina hasta llegar a la altura del cadáver de la oveja. Las anchas ruedas del BMW la habían apisonado contra el asfalto reduciéndola a una masa sanguinolenta. "Los animales no entienden a los autos", pensó Guillermo compasivo. Salió del BMW y, en estado de fascinación, caminó hasta los despojos, supuestamente para examinarlos de cerca.

Se largó a llorar. Recordó un pasaje de la misa que su madre solía cantarle como canción de cuna: "Cordero de Dios que quitas los pecados del mundo, ten piedad de nosotros", entonaba Celina, persignándose. "Cordero de Dios que quitas los pecados del mundo, danos la paz". Su madre se lo cantaba una y otra vez en una cadencia monocorde, hasta que Guillermo se dormía. Celina lo llamaba "Mi corderito" y le deseaba las buenas noches con un beso en la frente. Guillermo permaneció un rato al lado del cadáver del cordero bajo los rayos del sol de las dos de la tarde, ensimismado en sus pensamientos.

De pronto, comprendió que se arriesgaba a que un auto apareciera en el horizonte vacío de la RP 20 y lo arrollara. Pensó que se hallaba dominado por una especie de Ley del Talión, que lo empujaba a expiar la culpa exponiéndose al mismo peligro que su víctima. Se dijo que él era el cordero del sacrificio, siempre lo había sido y ahora volvía a serlo, parado como un imbécil en medio de la ruta.

De un salto traspuso la distancia que lo separaba de la protección del BMW. Por suerte para él, la RP 20 continuaba deshabitada, no había pasado ni un solo vehículo en todo ese lapso; como si el lugar perteneciera a una realidad paralela que no figuraba en los mapas humanos. "Un sitio inexistente, ideal para un milagro", pensó Guillermo, que interpretaba lo que había sucedido como una manifestación divina. No una superstición literaria como el Rayo verde sino una verdadera señal de Dios. Todo coincidía, hasta la posición del auto que le indicaba que debía regresar a Buenos Aires. Dios había sido muy generoso con él; lo había salvado de cometer un pecado mortal y le había revelado la clave de su vida: su condición de cordero. Guillermo se sintió profundamente feliz y agradecido, solo lamentó que para ello hubiera tenido que sacrificar a un animal inocente.

De regreso, mientras canturreaba conmovido la letanía "Cordero de Dios, tu que quitas los pecados del mundo, ten piedad de nosotros", Guillermo decidió que vendería La Pampa Africana y dejaría a Helenita y a Ramón abandonados a su suerte. Nunca volvería a verlos, simplemente, los ignoraría. La idea de desligarse de ellos le causó un profundo alivio. También resolvió que buscaría a Mimi y se radicaría en Miami o, por lo menos, pasaría más tiempo en Miami que en Buenos Aires. Entonces aumentó la velocidad, presa de una irresistible urgencia por ver a Mimi. Ahora que la había elegido temía que Mimi se hubiera cansado de esperarlo.

Había recorrido algunos kilómetros, embriagado de felicidad, sintiéndose libre por primera vez en muchos años, cuando percibió un olor dulzón. Durante un instante imaginó que provenía de algún campo de gramíneas madurando en el calor de la siesta, le recordó el aroma de la malta tostada; pero con solo observar la vegetación desértica que lo rodeaba, Guillermo dedujo que estaba errado. “Estas plantas son demasiado fibrosas y escuálidas como para tener un olor tan dulce”. Para salir de dudas, abrió la ventanilla. El olor estaba en su nariz: el indestructible olor a leche condensada de Helenita.

Apenas el nombre de su amada surgió en su mente, su pene comenzó a tensarse. Guillermo se dio cuenta de que con cada latido de su corazón, su pene embestía contra la bragueta del *jean*, empujaba rítmicamente, como si tratara de escapar de las ropas que lo aprisionaban: acudía a la llamada del amo.

Enseguida alcanzó una erección completa. Guillermo estacionó el auto en la banquina y movió el espejo retrovisor hasta enfocar su rostro. Se estudió fríamente: la nariz rota, las canas prematuras, el priapismo. Las transformaciones que le había acarreado su amor por Helenita. Podía llegar a Santa Rosa en un par de horas y consultar a un urólogo, pero sabía que no tenía sentido hacerlo. Los episodios de priapismo se repetirían. Para curarse tenía que cortar por lo sano. Notó que las cajas de las escopetas continuaban en el asiento del copiloto. Repasando el plan para matar a Ramón, Guillermo advirtió que contenía una falla esencial: Helenita sospecharía de sus intenciones, no permitiría que Ramón le enseñara a tirar. Guillermo comprendió que tendría que dispararles a ambos ni bien entrara al campo, cuando se acercaran a saludarlo. Antes, debería buscar un sitio apartado donde aprender a manejar la escopeta. “Mejor terminar con todo esto de una buena vez”, se dijo con resignación. Dio una vuelta en “U” y se encaminó nuevamente hacia La Pampa Africana.

Un jurado compuesto por Guillermo Arriaga, Alonso Cueto y Juan Gabriel Vásquez otorgó por unanimidad el Premio de novela La otra orilla 2008 –dotado con 30.000 dólares y en el que participaron 321 manuscritos– a *El amante imperfecto*. La obra fue presentada bajo el seudónimo Guillermo, que resultó ser Carlos Chernov.